Vers l'Orient compliqué

DU MÊME AUTEUR

L'Argent des Arabes, Hermé, 1992.

Les Réseaux d'Allah, Plon, 1997.

L'Atlas des religions, Perrin, 1993 ; 1999 (sous la direction).

Dictionnaire de l'islamisme (sous la direction), Plon, 2002.

Dieu, Yahweh, Allah : *Les grandes questions sur les trois religions (avec Michel Kubler et Katia Mrowic)*, Bayard Jeunesse, 2004.

Liberté Égalité Islam : *La République face au communautarisme (avec René Andrau)*, Tallandier, 2005.

La Tunisie, *terre de paradoxes*, L'Archipel, 2006.

Antoine Sfeir

Vers l'Orient compliqué

Les Américains et le monde arabe

BERNARD GRASSET
PARIS

ISBN (10) : 2-246-71681-0
ISBN : 978-2-246-71681-5

« Vers l'Orient compliqué, je volais
avec des idées simples. »

Charles de GAULLE,
Mémoires de guerre.

Introduction

J'APPARTIENS à cette génération, issue de la Deuxième Guerre mondiale, qui a baigné dès l'enfance dans le nationalisme porté par Nasser, appelant à l'unité de l'espace arabe dans un devenir commun.

Et j'appartiens à cette génération qui a vu le jour dans un de ces pays dits alors du « champ de bataille » entourant « l'ennemi israélien » responsable de tous les maux et, en tant que tel, ciment de cette unité arabe à venir. Les camps de réfugiés palestiniens furent la toile de fond idéologique de notre adolescence pour le moins houleuse et de notre jeunesse très vite militante.

Mais j'appartiens aussi – hélas – à cette génération qui n'a pas vu l'islamisme submerger les sociétés arabes alors que nos idéologies se voulaient laïques et citoyennes.

La déferlante islamiste a réveillé les impulsions communautaristes latentes. Nous nous sommes découverts chrétiens, musulmans, juifs, sunnites, chiites, maronites, grecs orthodoxes, druzes, grecs catholiques, et j'en passe… De citoyens, nous devenions citoyens communautaires, alors même que l'ennemi désigné, Israël, État communautariste s'il en était, devenait de moins en moins hébreu.

J'appartiens enfin à la génération de ceux qui, à l'automne de leur vie, ont vu tous leurs rêves balayés, l'unité du monde arabe devenir virtuelle et leur identité voler en éclats.

Que sont venus faire les États-Unis en Irak, sinon démanteler le Proche-Orient sur la base d'entités identitaires et ethniques ou religieuses, sonnant le glas des États-nations qui ont vu le jour il y a moins d'un siècle ?

Aujourd'hui encore, trois ans après l'invasion américaine en Irak, on ne connaît pas les raisons véritables de cette guerre, illégale aux yeux de la communauté internationale et ô combien illégitime aux yeux des populations arabes. Le Président américain, George W. Bush, nous a fait croire un certain temps qu'il existait des armes de destruction massive en Irak – il n'en était rien. Son administration a prétendu qu'il y avait collusion entre le dictateur de Bagdad et Oussama Ben Laden – ce qui n'a jamais été prouvé. Selon le Département d'État, Saddam Hussein constituait un danger pour ses voisins arabes – aucun régime de cette zone n'a soutenu le déclenchement de la guerre contre l'Irak.

Toutes les raisons stratégiques, géopolitiques ou même pétrolières ne pouvaient justifier le déploiement d'une telle armada – 140 000 soldats américains sont aujourd'hui présents sur le sol irakien.

Est-ce à dire que le projet de « Grand Moyen-Orient » serait pire qu'une démocratisation impossible car imposée ? Difficile de savoir ce que l'administration Bush et surtout ceux que l'on appelle les « néocons » ont à l'esprit. Mais force est de constater que le Proche-Orient se disloque chaque jour davantage.

Ce livre est né de ce constat terrible – mais pas seulement. Il est né aussi de l'espoir – car il en reste. C'est la force du monde arabe, comme le démontre chaque jour la Résistance palestinienne malgré les coups qui lui sont portés. Certes, aujourd'hui le mouvement islamiste Hamas a vaincu le Fatah de Yasser Arafat, mais il ne s'agit sans doute pas vraiment d'une sincère adhésion aux thèses extrémistes ; plutôt d'une réaction à la désastreuse politique de l'Autorité palestinienne, minée par la corruption et le clientélisme, comme à celle, tout aussi désastreuse, d'Israël.

Il est temps de dénoncer les effets pervers des dictatures arabes, installées depuis près d'un demi-siècle, et dont la complaisance sans états d'âme des démocraties occidentales a rendu possible la survie. Et il importe tout autant de souligner les méfaits de la politique américaine actuelle et de réveiller les esprits endormis par les discours des Rumsfeld, Cheney et autres Wolfowitz.

Mais, pour prendre l'exacte mesure de notre présent belliqueux et confus, mieux vaut commencer par visiter un peu le proche passé.

1

Les origines des États-nations du Moyen-Orient

L<small>A</small> fin du XIXe siècle fut marquée par le développement de la colonisation occidentale partout dans le monde. L'Empire ottoman ne fit pas exception. Il céda lui aussi de sa puissance face à une Europe conquérante et impérialiste. Ces terres nouvellement accaparées sombrèrent bientôt dans la dépendance économique et commerciale, sous la tutelle de la Grande-Bretagne et de la France, bientôt rejointes par l'Italie ou encore la Russie et les pays « colonisateurs ». Mais ce sont surtout ces deux premières nations qui s'installèrent au Moyen-Orient. Londres, sans conteste la plus présente et la plus fédératrice, se livra avec Paris à une concurrence féroce pour le contrôle des territoires et de leurs ressources.

En 1571, la grande bataille de Lépante avait annoncé le déclin de l'Empire ottoman. À cette date en effet, la flotte chrétienne européenne – essentiellement espagnole et italienne – l'avait emporté sur les galères du Grand Turc. L'empire n'avait pas été anéanti pour autant, mais cet événement était le signe annonciateur d'un changement d'équilibre dans l'ordre mondial. Le contrôle des mers et la découverte de nouvelles terres créèrent les premières conditions du développement des nations européennes et de leur domination sur le globe, Moyen-Orient compris.

L'intrusion européenne en Orient commença avec le soutien apporté par la France à l'Égyptien Méhémet-Ali pour qu'il libère son pays de l'emprise de Constantinople, au début du XIXᵉ siècle. Les Anglais et les Russes eurent également l'occasion, au cours de cette période, d'appuyer certains pays de la région comme la Grèce, disloquant toujours plus l'Empire ottoman.

Puis, en mai 1916, Britanniques et Français procédèrent à un découpage fort savant, les premiers s'attribuant l'Irak, la Palestine et l'Égypte, tandis que l'avenir du Liban, de la Syrie et de la Cilicie était remis entre les mains des seconds. Le sort de la région fut scellé par les accords secrets de Sykes-Picot alors signés entre les deux grandes puissances européennes puis ratifiés par la Russie, avant d'être complétés par les accords de Saint-Jean-de-Maurienne, marquant l'entrée en jeu de l'Italie. L'Empire ottoman était dépecé.

Aussitôt, le monde arabe connut une première révolution : hormis l'Égypte, l'Iran et la Turquie, et dans une moindre mesure le Maroc, aucune des nouvelles entités territoriales n'avait eu auparavant de frontières au sens international du terme. Les populations de ces régions s'étaient toujours déplacées librement, et voilà que le colonisateur leur imposait des barrières. Le rêve de l'unité arabe y trouvera ses racines.

À ce morcellement vint s'ajouter la confiscation d'un petit territoire, en Palestine, visant à permettre l'installation de juifs victimes en Occident d'un féroce antisémitisme, révélé notamment par l'affaire Dreyfus en France. La Grande-Bretagne, poussée par ses intérêts dans la région à entretenir de bonnes relations avec les Arabes, se livrait alors à un double jeu. Londres promit au chérif Hussein qu'elle apporterait tout son soutien à la création du fameux royaume arabe qu'il projetait d'instaurer depuis longtemps, tout en garantissant l'instauration du foyer national juif. Tiraillée entre le besoin du pétrole d'un côté (de Mossoul, notamment) et, de l'autre, la volonté de s'assurer les faveurs du mouvement sioniste et de menacer les intérêts de Paris en Palestine (c'est-à-dire près du Canal de Suez), la « perfide Albion » s'attira vite les foudres des gouvernements locaux. La voie était libre pour la nouvelle superpuissance occidentale : les États-Unis. Mais il faudrait pour cela attendre la fin de la Deuxième Guerre mondiale. Entre-temps, la diplomatie de la Couronne bénéficia d'une emprise certaine sur le Moyen-Orient pendant de longues décennies, aux côtés de la France, et marqua l'histoire régionale de son empreinte.

Il faut dire, qu'à cette époque, l'Empire otto-man étouffait aussi de ne pas pouvoir suivre le rythme effréné des puissances occidentales en termes de modernité sociale. La colonisation se fit d'autant plus facilement dans la région que les pouvoirs en place n'en étaient plus à la période faste de l'empire mais connaissaient déjà un déclin certain. Cette fragilité a été jus-tement soulignée par Georges Corm, selon qui « les Arabes, les Perses et les Turcs qui voyagent dans les grandes capitales européennes aux XIXe et XXe siècles y voient fonctionner des régimes de démocratie représentative, même sous des royautés, ainsi que des systèmes éducatifs et industriels modernes. Ils constatent en outre le rôle des femmes dans les lettres et les arts. Dans la monarchie perse, comme dans l'Empire otto-man, il en résulte des tensions insupportables entre gouvernants et élites urbaines, qui rendront d'autant plus fragiles les systèmes politiques en place[1] ».

Peu étonnant, dans ce contexte, que la colonisation ait bouleversé la vie des peuples du Moyen-Orient.

Colonisation

On ne peut certes attendre des États, ces « monstres froids », qu'ils agissent selon les seuls principes humanistes, mais il faut tout de même souligner combien les choix motivés par la seule exploitation et marqués par le dénigrement des individus ont mené au désastre économique et social qui pèse aujourd'hui encore sur les relations internationales. Les guerres se sont succédé et partout les promesses de l'indépendance ont été déçues, alors que le colonisateur d'hier se referme depuis sur son territoire, excluant toujours l'Autre.

Les nations européennes colonisatrices, une fois les territoires conquis par l'envoi de troupes armées et éventuellement de missionnaires, s'empressèrent d'investir dans des

---

1. G. Corm, *Le Moyen-Orient*, Flammarion, 2000, pp. 26-27.

politiques de grands travaux pour équiper les colonies. Il s'agissait surtout de les doter d'infrastructures de communication afin d'organiser au mieux le commerce au profit de l'Occident. Ponts, chemins de fer, routes et autres grands axes devaient faciliter l'accès des marchandises vers les ports puis les aéroports à destination des métropoles.

Ainsi, non seulement il ne restait plus de terre inconnue dès la fin du XIXe siècle, mais surtout le développement et la modernisation des transports avaient rendu les distances plus courtes à parcourir. Les lignes télégraphiques connurent également un essor fulgurant à cette époque.

Le XXe siècle vit se développer davantage les services de l'éducation et de la santé. Après la grande crise de 1929 en particulier, les nations européennes, affaiblies par la Première Guerre mondiale, misèrent sur leurs colonies pour redresser le pays. Ainsi, en vingt-cinq ans (entre 1913 et 1938), les investissements français dans les colonies triplèrent, passant de 9 à 30 % (ce qui se traduisit notamment par la construction d'hôpitaux et d'écoles).

Dans le même temps, les colonisés, qui ont largement participé à l'effort de guerre, commencèrent à contester cette soumission, très peu payante pour eux dans l'ensemble car ils n'étaient pas les premiers bénéficiaires des nouvelles infrastructures. Les « acquis » de la colonisation profitent avant tout aux métropoles qui puisent plus facilement des ressources rentables et trouvent dans les populations locales une main-d'œuvre peu coûteuse et des consommateurs de produits manufacturés le plus souvent dans les usines européennes, au détriment de l'artisanat local qui ne survit pas à cette évolution. Avancées techniques et progrès en termes d'infrastructures de communication sont autant de nouveaux atouts pour les colonies, mais les promesses qu'ils font naître chez les populations locales ne créent que très peu de changements. En d'autres termes, il y eut des évolutions, mais extrêmement lentes, alors que tout était en place pour qu'elles se produisent vite, et ce, dans l'intérêt de tous. Plus encore, la « modernisation » s'accompagne d'une discrimination croissante, et finit par accentuer les inégalités sociales. La modernité était bien là – seulement elle n'incluait guère ceux à qui on amenait la « civilisation », comme on disait alors.

En parallèle, du fait de la scolarisation d'un certain nombre, même limité, de colonisés, sur fond d'exclusions et d'humiliations quotidiennes, bientôt des leaders indigènes apparurent et fomentèrent la lutte contre l'occupant. Les idéaux déçus se retournèrent alors contre les puissances coloniales, lesquelles, sans le vouloir, avaient ainsi apporté aux peuples soumis à leur dépendance les moyens intellectuels de s'en défaire. Des partis politiques virent le jour ; des figures charismatiques commencèrent à émerger.

Au départ, la colonisation fut justifiée par l'idée de « mission civilisatrice ». On entendait par là qu'un devoir d'élévation des consciences indigènes incombait aux nations développées. L'*Habeas Corpus* britannique[1] ou les Lumières françaises, porteurs de valeurs universelles, devaient, par définition, être diffusés auprès de tous.

Premier problème : le racisme latent inhérent à cette idée. Affirmer le devoir pour certains d'étendre leur culture à d'autres, par la contrainte si nécessaire, c'est en effet poser qu'il existe une supériorité naturelle de certains individus, en l'occurrence les Blancs. L'indigène est alors décrit de la pire façon. C'est un sauvage, un barbare et dans tous les cas un inculte qu'il est urgent d'« éduquer », d'« élever » à notre niveau. Un célèbre homme politique français de cette époque soulignait par exemple « le côté humanitaire et civilisateur de la question (...). Les races supérieures (...) ont le devoir de civili-

---

1. L'*Habeas Corpus*, document voté par le Parlement britannique en 1679, pose les premières bases du respect des libertés individuelles et de la condamnation des procédures arbitraires.

ser les races inférieures. Ces devoirs ont été souvent méconnus dans l'histoire des siècles précédents, et certainement quand les soldats et les explorateurs introduisaient l'esclavage ». Ce grand humaniste républicain s'appelait Jules Ferry[1].

Second problème : quand bien même les propos seraient empreints d'altruisme et dénués de mépris pour les peuples locaux, il n'en demeure pas moins que l'humanisme ne pouvait être la seule motivation des colons. Jules Ferry lui-même ne l'occultait pas : les colonies devaient, selon lui, améliorer le commerce de la métropole. Sur le terrain, cela se traduisit par l'exploitation des ressources au bénéfice des colons, au prétexte que seuls ces derniers étaient assez compétents pour les développer (et, en effet, ils disposaient de techniques « modernes », ce qui n'empêchait pas les paysans et ouvriers indigènes de constituer l'essentiel de la main-d'œuvre). Surgit alors une violence sociale, tout à la fois physique et psychologique, contre laquelle les peuples soumis ne tardèrent pas à protester. Oubliées, les intentions civilisatrices fondées sur des conceptions racistes. Le colonisé n'a plus ni droit, ni terre. Ce n'est pas un citoyen. Ce n'est pas un

---

1. Discours de Jules Ferry à la Chambre des députés, *JO*, 28 juillet 1885.

homme. Cette frontière entre deux mondes vivant sur un même territoire est celle que décrit Frantz Fanon, qui évoque mieux que personne l'anomie de cette époque de l'histoire : « Le monde colonial est un monde coupé en deux. La ligne de partage, la frontière en est indiquée par les casernes et les postes de police. Aux colonies, l'interlocuteur valable et institutionnel du colonisé, le porte-parole du colon et du régime d'oppression est le gendarme ou le soldat. (...) Dans les pays capitalistes, entre l'exploité et le pouvoir s'interposent une multitude de professeurs de morale, de conseillers, de "désorientateurs". Dans les régions coloniales, par contre, le gendarme et le soldat, par leur présence immédiate, leurs interventions directes et fréquentes, maintiennent le contact avec le colonisé et lui conseillent, à coups de crosse ou de napalm, de ne pas bouger. On le voit, l'intermédiaire du pouvoir utilise un langage de pure violence. L'intermédiaire n'allège pas l'oppression, ne voile pas la domination. Il les expose, les manifeste avec la bonne conscience des forces de l'ordre. L'intermédiaire porte la violence dans les maisons et dans les cerveaux du colonisé. »

La violence des inégalités engendrées par la colonisation n'est pas moindre : « La zone habitée par les colonisés n'est pas complémentaire de la zone habitée par les colons. Ces deux zones s'opposent, mais non au service d'une unité supérieure. Régies par une logique purement aristotélicienne, elles obéissent au principe d'exclusion réciproque : il n'y a pas de conciliation possible, l'un des termes est de trop. La ville du colon est une ville en dur, toute de pierre et de fer. C'est une ville illuminée, asphaltée, où les poubelles regorgent toujours de restes inconnus, jamais vus, même pas rêvés. (...) La ville du colon est une ville repue, paresseuse, son ventre est plein de bonnes choses à l'état permanent. La ville du colon est une ville de blancs, d'étrangers. La ville du colonisé, ou du moins la ville indigène, le village nègre, la médina, la réserve, est un lieu mal famé, peuplé d'hommes mal famés. On y naît n'importe où, n'importe comment. On y meurt n'importe où, de n'importe quoi. C'est un monde sans intervalles, les hommes y sont les uns sur les autres, les cases les unes sur les autres. La ville du colonisé est une ville affamée, affamée de pain, de viande, de chaussures, de charbon, de lumière. La ville une ville accroupie, une ville à genoux, une ville vautrée. C'est une ville de nègres, une ville de bicots. Le regard que le colonisé jette sur la ville du colon est un regard de luxure, un regard d'envie. Rêves de possessions. Tous les modes de possession : s'asseoir à la table du colon, coucher dans le lit du colon, avec sa femme si possible. Le colonisé est un envieux.

Le colon ne l'ignore pas qui, surprenant son regard à la dérive constate amèrement mais toujours sur le qui-vive : "Ils veulent prendre notre place." C'est vrai, il n'y a pas un colonisé qui ne rêve au moins une fois par jour de s'installer à la place du colon[1]. »

En somme, la supériorité affirmée des Européens se traduisait par l'exploitation et l'humiliation bien plus que par l'éducation. Dès lors, les premières faiblesses de la Grande-Bretagne ou de la France, du fait surtout des guerres fratricides auxquelles se livre le Vieux Continent, furent l'occasion pour les peuples colonisés de prendre leur essor.

Décolonisation

La Première Guerre mondiale avait déjà considérablement affaibli les puissances européennes. Sans créer un nouvel ordre mondial, elle avait ouvert la voie à des changements qui allaient entailler les empires coloniaux.

Les inégalités et les conditions de vie difficiles rencontrées par les populations indigènes dans les colonies avaient nourri les frustrations, terreau particulièrement fertile pour les rébellions.

---

1. F. Fanon, *Les Damnés de la terre* (1961), Folio, 2001, pp. 68-70.

Les hommes des colonies avaient participé aux guerres des métropoles, sans rien recevoir en retour. La Première Guerre mondiale avait causé de nombreuses pertes dans leurs rangs, mais la patrie n'était pas reconnaissante à ces hommes-là.

C'est de cette déception que naquirent les mouvements de lutte pour l'indépendance. « La vérité est que pendant des décades, les peuples colonisés ont essayé de faire confiance, ont cru qu'il fallait faire confiance, ont effectivement fait confiance. Leurs vainqueurs parlaient si bien ! Ils parlaient des droits de l'Homme, de la liberté, de la justice, de la civilisation, que sais-je ? Eh bien ! Nous sommes à un moment de l'Histoire où les peuples coloniaux, tous, sans exception, forts d'une expérience douloureuse, refusent de faire confiance et disent qu'ils ne font pas confiance », observe Aimé Césaire[1].

Dès avant la Deuxième Guerre mondiale, qui allait sceller la supériorité incontestable des États-Unis et de l'URSS, le prestige des grandes puissances européennes avait été entamé, leurs faiblesses révélées par la guerre de 14-18.

Dès lors, la décolonisation s'imposait. À la conférence de Bandung, en 1955, les pays du

---

1. A. Césaire, in Les Temps modernes, mars-avril 1956.

Tiers Monde solidaires exigèrent la fin de la colonisation. Surtout, cette position était alors appuyée par les États-Unis qui, depuis la fin de la guerre de Corée en 1953, commençaient à faire pression sur la France pour qu'elle suive le modèle britannique. À l'intérieur de l'Hexagone également, des voix s'élevèrent pour la libération des peuples colonisés – celles, par exemple, de François Mauriac ou de Jean-Paul Sartre, se ralliant bientôt l'opinion publique. Le « droit des peuples à disposer d'eux-mêmes », plus qu'une formule, était alors le projet de toute une partie du monde.

Côté britannique, la décolonisation fut rapide. L'Irak accéda à l'indépendance dès 1930 ; l'Égypte, en 1936. Mais Londres laissa irrésolu le problème palestinien. Après les promesses non tenues et le développement de l'immigration juive sans formation d'une nation arabe unie en contrepartie, le Royaume-Uni soutint la création de l'État d'Israël, sous l'égide des Nations unies, en 1947.

En 1956, le Maroc et la Tunisie – « autonomes » depuis juillet 1955 – devinrent à leur tour indépendants. Mais la France eut plus de mal à accepter la perte de son empire colonial. Les pressions internationales et internes ne suffirent pas à empêcher le drame de la guerre d'Algérie, qui dura six ans et ternit durablement l'image de la « patrie des Lumières et des droits de l'Homme ». La défaite politique l'emporta sur la victoire militaire. La France, comme la Grande-Bretagne, fut contrainte d'abandonner son empire.

(Notons au passage que l'Iran est un des rares pays de la région à n'avoir pas été colonisé. Situé entre les empires russe et britannique, il a plutôt servi d'État tampon, cédant des territoires et subissant le contrecoup des divisions profondes entre les partisans de chaque camp.)

À l'issue de la période de décolonisation, les frontières imposées par le colonisateur demeurèrent inchangées. La Syrie, la Jordanie, la Palestine, l'Irak et la Turquie étaient autant de territoires découpés, après avoir longtemps partagé une même histoire, une même culture byzantine et arabo-araméenne, tandis que la Palestine était divisée entre un État juif et une population arabe sans État. Quant à la péninsule Arabique, elle ne put prendre forme que grâce au soutien financier des compagnies occidentales pour l'exploitation du pétrole. La domination de l'Arabie Saoudite en particulier, colosse face aux petits États que sont les Émirats Arabes Unis, le Qatar, ou Bahreïn, s'explique par la protection que lui apporta Washington, officialisée par le Pacte du *Quincy* le 14 février 1945.

Marquées durablement par l'époque colo-
niale, les nations du Moyen-Orient qui accé-
dèrent à l'indépendance n'en perdirent pas pour
autant leur attrait aux yeux des puissants. À
ceci près qu'il ne s'agissait plus des mêmes et
que l'on ne parlait plus désormais d'« empire
colonial » mais de « bloc », ni de « dépendance » mais d'« influence ».

2

Les États-Unis au Moyen-Orient : une longue histoire

A U lendemain de la Deuxième Guerre mondiale, les États-Unis prirent rapidement conscience de l'intérêt du Moyen-Orient, désinvesti par les puissances coloniales affaiblies. Au fil des années, des alliances se sont donc créées entre Washington et certains États de la région. Toutes n'ont pas donné les mêmes résultats. Si les relations avec l'Arabie Saoudite n'ont cessé depuis 1945, les rapports ont été plus difficiles avec d'autres pays (comme l'Égypte) voire plus conflictuels (comme avec l'Iran).

Depuis le 11 septembre, les projets de « Grand Moyen-Orient » montrent combien la région tout entière intéresse toujours Washington. Hier comme aujourd'hui, il n'est donc pas possible d'observer la situation d'un État de la région sans regarder ce qui se passe à côté. D'une part, les mêmes problèmes touchent des pays distincts. D'autre part, les frontières nées de la colonisation n'ont jamais eu assez de prise sur les esprits pour empêcher les peuples de la région de se sentir proches – sinon unis – dans bien des situations, et en particulier face à l'Occident.

Pour toutes ces raisons, par-delà les alliances, il importe de rappeler ici comment les États-Unis ont pris la place des puissances européennes, non seulement dans certains États mais plus encore dans les perceptions collectives.

Se pencher sur l'évolution de la politique étrangère américaine, c'est comprendre l'intérêt ancien des États-Unis pour cette région ainsi que le rôle central du pétrole et, pendant la Guerre froide, de l'anticommunisme. Nous verrons également comment la menace terroriste, avant de faire l'objet d'une guerre d'un nouveau type, a été alimentée par certains choix stratégiques aux effets « boomerang ».

Si les théories du complot font aujourd'hui recette, c'est avant tout parce qu'elles proposent une explication prête à l'emploi, accessible à tous et suffisamment réductrice pour que chacun puisse adhérer à la thèse et la répéter à son tour.

Presque toujours, ces conspirations concernent à un moment ou à un autre les États-Unis, responsables de stratégies très finement pensées. Aussi séduisantes que puissent être ces hypothèses (questions qui seraient parfois dignes d'intérêt, si seulement les réponses apportées n'étaient pas aussi légères), elles se trouvent immédiatement décrédibilisées par le simple fait qu'elles postulent une prise de décision claire et faisant l'unanimité. La construction de la politique étrangère américaine est tout le contraire.

D'une part, de nombreux acteurs interviennent. Outre le Président et son équipe de secrétaires d'État, le Pentagone ainsi que la CIA ou encore le NSC (National Security Council), pour ne prendre que quelques exemples, sont autant d'éléments susceptibles d'influer sur les actions à engager[1]. Dans ces conditions, l'entente relève du miracle, chacun poursuivant des intérêts bien distincts. À l'occasion de la crise irakienne notamment, des désaccords se sont fait jour entre les membres de l'équipe Bush, en particulier entre Colin Powell, qui cherchait, dans un premier temps, à obtenir le soutien de la communauté internationale, et les « faucons » pour qui même le soutien de la

---

1. Pour une analyse détaillée du processus de prise de décision américain en matière de politique étrangère, voir Charles-Philippe David, *Au sein de la Maison-Blanche : la formulation de la politique étrangère des États-Unis*, 2ᵉ édition, Les Presses de l'Université de Laval, Sainte-Foy, 2004.

Grande-Bretagne n'avait « pas d'importance[1] ». Si les conflits sont inévitables dans toutes les démocraties, il n'en demeure pas moins que la concurrence est particulièrement forte aux États-Unis et les acteurs plus nombreux qu'ailleurs. Contrairement à la France, par exemple, où le rôle de l'exécutif est écrasant en matière de politique étrangère, les différentes forces en présence aux États-Unis se valent à peu près et s'affrontent avant de parvenir à un compromis. Le Président, dont la volonté prime en théorie sur tous, doit toutefois composer avec le Congrès, ce qui, en pratique, limite considérablement son champ d'action. Ainsi, le fait que le pouvoir législatif doive ratifier les traités non seulement constitue une opposition considérable pour la mise en œuvre d'accords essentiels (aujourd'hui le protocole de Kyoto, par exemple), mais surtout amène le Président à se montrer extrêmement prudent par avance afin de ne pas subir un désaveu.

En outre, des acteurs privés interviennent de plus en plus dans les décisions. Les « think tanks », ces agences de conseil privées qui conçoivent des stratégies en fonction de leur analyse de la situation internationale, ont pris

---

1. Cf. la déclaration de Ronald Rumsfeld alors que Tony Blair se trouvait confronté à cette époque à une partie de l'opinion publique descendue massivement manifester son opposition à la guerre en Irak.

une place considérable sous l'administration Bush Jr. Elles présentent le premier avantage de ne pas être soumises au contrôle du puissant Congrès. Leurs liens avec le monde politique sont pourtant considérables puisqu'elles recrutent nombre d'anciens conseillers ou décideurs. Le PNAC (Project for the New American Century), par exemple, est un groupe privé qui fut fondé par Dick Cheney, Donald Rumsfled, Paul Wolfowitz et Richard Perle notamment. Or, quelques mois avant l'arrivée à la présidence de G.W. Bush, ils rédigèrent un rapport intitulé « Reconstruire la défense de l'Amérique : stratégie, forces et ressources pour un nouveau siècle », lequel envisageait notamment le renversement du régime de Saddam Hussein ou encore le renforcement de l'alliance stratégique avec Israël. Ces sujets, qui étaient loin des thèmes de campagne de Bush en 2000, sont pourtant apparus sur le devant de la scène. Conçues initialement dans un cercle de réflexion, ces propositions deviendront le programme de politique étrangère des États-Unis.

Les décisions prises au fil des décennies qui nous intéressent ne forment donc pas un tout cohérent émanant de personnalités partageant une même vision, mais sont nées de circonstances historiques particulières ; certains intérêts ont dès lors prévalu et donné lieu à une politique étrangère relativement cohérente, aux effets désastreux.

Durant la Guerre froide, les deux superpuissances remplacèrent les puissances britannique et française au Moyen-Orient, qui échappait visiblement à leur emprise, faisant de la région un nouveau terrain de lutte. La crise du Canal de Suez, en 1956, marqua un tournant essentiel.

D'abord, elle révéla l'extrême faiblesse des Européens. L'« expédition » lancée par la France et la Grande-Bretagne aux côtés d'Israël, et contre l'avis du Président Eisenhower et de son secrétaire d'État aux Affaires étrangères Dulles, mena au désastre. En s'alliant avec l'URSS, les États-Unis infligèrent une humiliation sévère à leurs propres alliés, qui eut des répercussions dans tous leurs protectorats, mandats et colonies. Les puissances européennes se voyaient dépassées par les nouvelles superpuissances.

D'autre part, Washington se retrouva à nouveau responsable des équilibres mondiaux, face à l'URSS. Cette politique avait déjà commencé dans la région avec le Pacte de Bagdad. Signé le 24 février 1955 entre la Turquie et l'Irak, bientôt rejoints par la Grande-Bretagne, le Pakistan et l'Iran, cet accord devait donner naissance pour les États-Unis à une alliance semblable à l'OTAN. Mais Nasser, craignant que cet accord ne renforce l'influence occidentale dans la région, et par conséquent n'affaiblisse son pouvoir, répondit par un rapprochement avec Moscou, sans pour autant perdre son indépendance. Nasser comprit rapidement l'intérêt qu'il pouvait tirer de la Guerre froide en mettant les deux Grands en concurrence plutôt qu'en s'alignant sur un camp. La crise de Suez démontra comment un tiers pouvait profiter de la division des puissants.

Mais les États-Unis n'ont en réalité pas attendu la Guerre froide pour s'intéresser au Moyen-Orient. Leur présence dans la région remonte au début du XXᵉ siècle, époque de l'émergence de la puissance américaine, dont les besoins en pétrole commençaient déjà à se faire lourdement sentir. Or, la région était encore sous domination franco-britannico-néerlandaise, et le resta jusqu'aux années 1950.

La Deuxième Guerre mondiale avait non seulement affaibli les puissances européennes mais placé au rang de superpuissances l'Union soviétique et les États-Unis, lesquels avaient constaté l'importance des ressources énergétiques pour gagner une guerre mais aussi, plus généralement, pour la stabilité de l'économie. Les luttes d'indépendance successives achevèrent de mettre les puissances européennes à l'écart. Et alors que l'Algérie peinait à mettre fin à la présence française, la lutte exaltait les pays voisins et leurs dirigeants, comme Nasser, et touchait la communauté internationale à tel point que la bataille politique fut très tôt perdue. Pour autant, la fin des mandats et des colonies ne signifiait pas celle des influences… américaine notamment.

En matière de pétrole, les compagnies britanniques furent rapidement devancées par celles du Nouveau Monde. En Arabie Saoudite particulièrement, la création du royaume par le charismatique Ibn Séoud se traduisant par un afflux de capitaux américains. La Grande-Bretagne se trouva incapable de faire face à cette nouvelle concurrence, tandis que la France, très vite hors jeu, préféra se concentrer sur l'or noir des environs de l'Irak. La première compagnie américaine à s'implanter fut la Gulf Oil Company qui céda ensuite sa place à la Standard Oil of California. En 1936, cette dernière et la Texas Oil Company fusionnèrent pour former l'Arabian-American Oil Company (Aramco). Dix ans plus tard, la présence américaine devint officielle dans le royaume, et prit un tour politique.

Le 14 février 1945, à sa demande, Roosevelt rencontre le roi d'Arabie Saoudite à bord du croiseur américain *Quincy*, afin de mettre définitivement un terme à la domination européenne sur place. Inflexible sur certains points, tels que le sort des Juifs de Palestine, qui, à ses yeux, doivent rentrer dans leurs pays d'origine, Ibn Séoud trouve cependant de nombreux terrains d'entente avec le Président des États-Unis.

Le pacte comportait plusieurs aspects décisifs pour l'avenir de la région. Les États-Unis ayant constaté la nécessité de sécuriser leurs approvisionnements en pétrole lors de la Deuxième Guerre mondiale, ils garantissaient la protection du régime à la fois contre l'Égypte, le vieil ennemi jordanien, le shah et les Iraniens, et contre tout danger provenant du monde arabe, ainsi que la non-ingérence dans les affaires politiques internes, moyennant un approvisionnement en pétrole à prix modérés. Les compagnies américaines pouvaient dès lors s'installer en louant les terrains contre le versement d'une prime reversée au roi Ibn Séoud, et ce, pour une durée de soixante ans. Cette concession fut attribuée à l'Aramco (Arabian-American Oil Company). Ce pacte a été renouvelé récemment, lors de la visite du roi Abdallah d'Arabie aux États-Unis en avril 2005.

Les besoins des États-Unis en pétrole n'ayant cessé de croître depuis, la nécessité de respecter le pacte s'est imposée. Les experts de l'ère Reagan avaient calculé qu'un attentat sur le complexe pétrolier d'Abqaiq provoquerait une chute brutale des marchés boursiers et que, s'il était coordonné avec d'autres attaques sur Ras Tanura et la station de pompage numéro un de l'oléoduc Est-Ouest, les États-Unis ne pourraient subvenir à leurs besoins nationaux que pendant soixante jours. Ces études confirmaient, s'il en était besoin, combien la sécurité des sites pétroliers saoudiens était vitale pour l'Oncle Sam. En outre, un baril sur cinq consommés dans le monde étant contrôlé par la famille des Séoud, on comprend sans mal pourquoi les gouvernements successifs américains ont tous été particulièrement conciliants avec la dynastie.

Le Pacte du *Quincy* avait également prévu un partenariat économique, commercial et financier qui, outre les accords sur le pétrole, amena l'Arabie Saoudite à acheter de grandes quantités d'armes aux Américains[1] et à « préférer » les États-Unis. Ainsi, en 1994, la monarchie leur confia le contrat de modernisation du réseau téléphonique sans même considérer d'autres propositions.

L'ensemble des fonds saoudiens publics comme privés investis aux États-Unis, notamment en bons du Trésor, est estimé à

---

1. 35 milliards de dollars de contrat à l'issue de la guerre du Golfe, puis livraisons d'une valeur de plus de 28 milliards de dollars entre 1993 et 2000 selon le rapport annuel sur les transferts d'armes du Congressional Research Service.

350 milliards de dollars[1]. Dans l'autre sens, comme le souligne le rapport de l'ONG américaine Human Rights Watch, « les exportations américaines de marchandises civiles et militaires vers [l'Arabie Saoudite] s'élèvent à 6,23 milliards de dollars en l'an 2000, selon l'ambassade de Riyad, et les investissements des multinationales basées aux États-Unis dans le royaume totalisent près de 5 milliards de dollars ».

Par ailleurs, les institutions islamiques, qui pesaient environ 230 milliards de dollars, soit 40 fois plus qu'en 1982, avant même la hausse vertigineuse du prix du brut en 2005-2006, constituent désormais des partenaires incontournables et un atout considérable pour l'économie américaine.

Tous les établissements bancaires ont créé des filiales pour « traiter » la finance islamique. Les Américains ont été sans aucun doute les premiers dans la course.

Les liens entre la famille Ben Laden et la famille Bush consolident encore l'alliance. Mohammad Awad Ben Laden, père d'Oussama, avait fondé le groupe de bâtiments et travaux publics Saudi Ben Laden Group (SBG), qui détient un cinquième de Carlyle, société

---

1. A. Sfeir, *Dictionnaire mondial de l'islamisme*, Plon, 2001, p. 39.

américaine dont George Bush est actionnaire. Ces liens se sont renforcés à la faveur du changement de mains, le fils aîné Salem prenant la succession, comme prévu, à la mort de son père, en 1967. Plusieurs enquêtes[1] ont ainsi fait valoir que la richissime famille Ben Laden a su élargir son carnet d'adresses au sein du Parti républicain. Parmi eux, outre George Bush, Frank Carlucci (ex-sous-secrétaire à la Défense et directeur adjoint de la CIA), James Baker (ex-ministre des Affaires étrangères), Casper Weinberger (ex-ministre de la Défense) ou encore l'actuel Président, George W. Bush. Lorsque Bush père fonde la compagnie pétrolière Arbusto Energy Inc. en 1977, Salem Ben Laden en est le premier investisseur.

Une des conséquences de ce pacte indéfectible est que le régime saoudien, autoritaire et obscurantiste, a pu mener une politique qui, dans d'autres lieux, n'aurait pas manqué d'amener réprimandes et autres pressions de « la plus vieille démocratie du monde ». Plus encore, il a permis la diffusion du wahhabisme, doctrine fondée sur une lecture sélective et littérale du Coran, refusant le monde moderne, qui allié au « jihadisme » de Al-Zawahiri (c'est-à-

---

1. *Wall Street Journal* du 27/09/2001, *High Times* de novembre 2001, *The Nation* de mars 2000.

dire à la volonté de combattre par les armes tous les « ennemis » de l'islam) a donné le cocktail meurtrier que l'on sait. En effet, l'Arabie Saoudite est au cœur du financement du terrorisme islamiste. Depuis des décennies, elle finance tous les projets lui permettant de diffuser la doctrine wahhabite, soit directement par les princes saoudiens, soit au moyen d'un réseau d'institutions islamiques internationales. Le fait est que, pendant longtemps, cette doctrine radicale présentait pour les États-Unis l'avantage indéniable de contrer le communisme athée.

Dès lors, le premier choc pétrolier, en enrichissant l'Arabie Saoudite, non seulement conforta sa domination sur la région mais lui donna surtout des moyens quasi illimités pour imposer le wahhabisme auprès de l'ensemble des communautés musulmanes, y compris en Occident. Les Saoudiens reconnaissent aujourd'hui qu'il sont à l'origine du financement de 90 % des mosquées et lieux de culte musulmans en Occident.

Dans les années 1970, un premier moyen de financement du wahhabisme dans le monde fut mis en place par des banques islamiques sous couvert d'aide au développement agricole et rural. Des organisations comme la Ligue islamique mondiale commencèrent à subventionner des « activités culturelles ». En se substituant aux pays occidentaux peu préoccupés des conditions de culte des populations musulmanes sur leur sol, ces organisations contrôlent en réalité par ce biais des musulmans jusque-là sans lien avec le Golfe. Enfin, l'« aumône », ou « zakat », offre la possibilité aux personnes privées et aux entreprises d'apporter une contribution directe aux mouvements les plus radicaux. Ceci s'effectue en fait sur le modèle du système mis en valeur par les Frères Musulmans, ces pères de l'islamisme qui, les premiers, ont insisté sur l'importance des activités économiques des mouvements islamistes. Ainsi, comme le souligne R. Labévière[1], ce n'est pas tant l'islam que l'argent qui est au cœur du phénomène islamiste.

Alliés pour des raisons essentiellement économiques, les États-Unis et l'Arabie Saoudite ont fait évoluer cette relation vers toujours plus de coopération. Parmi les circonstances aidant à ce rapprochement croissant se trouve la révolution iranienne de 1979.

« Le pétrole est notre sang, le pétrole est notre liberté », scandaient les manifestants iraniens au lendemain de la nationalisation opérée par Mohammad Mossadegh en 1951. Moins de

---

1. R. Labévière, *Les Dollars de la terreur*, Grasset, 2000.

deux ans plus tard, la CIA, en coordination avec Londres, organisait un coup d'État. L'opposition laïque fut violemment réprimée par le shah installé au pouvoir et les États-Unis remplacèrent la Grande-Bretagne dans le pays persan. Ainsi, quand le shah fut à son tour renversé par la révolution de Khomeyni, l'Iran risquait subitement de se trouver dans le giron soviétique. Or, il était le garant de la sécurité du pétrole dans la région, à l'époque « gendarme du Golfe » pour les États-Unis.

La situation était d'autant plus préoccupante que les nouveaux voisins de l'éternel allié saoudien sont bruyants ; leurs cris de ralliement (« Mort au grand Satan », « Mort aux Américains ») ne manquèrent pas de faire bourdonner les oreilles de Washington. Dès lors, l'ennemi était identifié, et l'année 1979 marqua un premier tournant. Cette même année en effet, en novembre, la Grande Mosquée de La Mecque fut attaquée et révéla une Arabie Saoudite incapable de garantir la sécurité des Lieux Saints, et, en décembre, l'URSS envahit l'Afghanistan.

Se substituant aux puissances européennes (britannique surtout), Washington devint bientôt un acteur clé du Moyen-Orient. Nassif Hitti, ambassadeur de la Ligue arabe à Paris, ironise aujourd'hui encore sur cette situation qui perdure, qualifiant les États-Unis de « vingt-deuxième membre de la Ligue »...

Guerre froide, intérêts pétroliers, alliances stratégiques – tout ceci explique donc en partie l'importance et la longue histoire de la présence américaine dans la région. Mais c'est surtout dans la relation avec Israël que le poids des États-Unis se fait sentir.

3

Israël et les États-Unis

Attirés au Moyen-Orient par le pétrole, les États-Unis avaient d'abord promis aux dirigeants arabes de ne pas soutenir le projet sioniste. Theodore Roosevelt, le premier, s'était formellement engagé dans ce sens auprès du roi Ibn Séoud. D'autres après reprirent ce discours. Aucun ne tint ces promesses. Car il n'était pas simple de rester indifférent à la cause du peuple juif, particulièrement au lendemain de la Shoah.

Sans négliger les tensions et crises qui émaillent leurs relations, ces deux États pourtant si lointains jouissent d'un lien unique, qui soulève de multiples interrogations, attise les curiosités, voire nourrit les théories du complot les plus absurdes. Le soutien américain à Israël est plus qu'une réalité, il est bien souvent une obsession dans l'esprit des populations arabes et musulmanes. Plus qu'un fait de diplomatie, il est l'objet de crispations et de frustrations grandissantes.

À l'heure de la création d'Israël, dans une région divisée en mandats britanniques et français, la marge de manœuvre des États-Unis était restreinte. Mais ils n'en étaient toutefois pas exclus.

Cependant, la naissance de l'État hébreu doit peu au soutien américain. Les sionistes surent d'abord s'appuyer sur les Britanniques pour créer un « Foyer national ». Puis, disposant d'une puissance militaire suffisante, ils placèrent la scène internationale devant le fait accompli : il faudrait dorénavant faire avec ce nouveau pays. Dès lors, l'appui du président Truman à la résolution 181 du 29 novembre 1947 des Nations unies représentait davantage le signe de cette prise de conscience que la marque d'un réel soutien. Au sein de la Maison-Blanche, les réticences étaient courantes et le débat omniprésent. Le Président Truman n'apporta son accord qu'au dernier moment, allant à l'encontre des recommandations de nombre de ses conseillers, au premier rang desquels le secrétaire d'État à la Défense George C. Marshall. Celui-ci, en effet, s'opposa explicitement à la reconnaissance de l'État hébreu, menaçant le Président de ne pas voter pour lui aux élections de novembre 1948 s'il agissait autrement[1]. Ce qui n'empêcha nullement Tru-

---

1. Clark Clifford rapporte ces propos issus d'une réunion à la Maison-Blanche, in Robert J. Lieber, « The US-

man d'être le premier homme d'État à reconnaître l'existence d'Israël dans la nuit suivant la proclamation d'indépendance, soit le 14 mai 1948. Mais ses motivations étaient sans doute davantage liées à des préoccupations de politique interne qu'à des considérations géostratégiques. Pour le Président des États-Unis en effet, à la culpabilité partagée avec les Européens s'ajoutait le poids du lobby juif américain, déjà actif sous Roosevelt.

Une précision s'impose sur ce mot si controversé, objet de tous les malentendus : il est important de comprendre que l'expression « lobby juif » n'a pas le même sens en France qu'outre-Atlantique, où elle n'est pas connotée péjorativement. Il ne s'agit pas de quelque « groupe obscur » agissant dans l'ombre mais bien au contraire d'une organisation officielle qui lutte pour les intérêts de ses membres. D'une manière générale, l'action des groupes de pression américains se fait au grand jour, à grand renfort de communication et de manière démocratique.

Harry Truman lui-même justifiait ainsi ses positions pro-israéliennes auprès d'ambassadeurs américains en poste dans les capitales arabes : « Je suis désolé, Messieurs, mais j'ai à

Israeli Relationship after 50 years », *Israeli Affairs*, vol. 5, n° 1 (automne 1998), p. 20.

répondre à des centaines de milliers d'Américains qui se soucient du succès du sionisme, je n'ai pas des centaines de milliers d'Arabes parmi mes électeurs[1]. » Si la population juive a toujours été minoritaire aux États-Unis (2,9 %), son comportement politique marqué par une participation électorale élevée, une forte discipline de vote et une organisation très efficace en groupes de pression (ils contribuent pour environ 60 % aux campagnes du Parti démocrate et 40 % à celles des républicains[2]) amènent les dirigeants à demeurer toujours attentifs à ses préoccupations. Or, depuis la Deuxième Guerre mondiale, une grande partie des juifs américains est particulièrement attachée à la situation de l'État hébreu et le soutient financièrement. Le Comité des affaires publiques américano-israéliennes (AIPAC), créé en 1954, est aujourd'hui une véritable institution qui mobilise ses 65 000 membres dans le but de soutenir Israël. Décrit par le *New York Times* comme la plus importante organisation liant les États-Unis à Israël et par *Fortune magazine* comme l'un des plus puissants

1. Cité in Emad Awwad, « Les États-Unis et Israël : les limites du pouvoir », *Défense nationale*, novembre 1998, 54ᵉ année, n° 11, p. 124.
2. Cf. Alain Gresh et Dominique Vidal, *Les 100 clés du Proche-Orient*, Hachette Littératures, Pluriel, 2003, p. 382.

groupes d'intérêt américains, l'AIPAC déclare être à l'origine de plus de cent lois pro-israéliennes ainsi que des trois milliards de dollars d'aide américaine à Israël chaque année. N'ayant aucun « homologue » sérieux pour défendre de la même façon des positions pro-palestiniennes (ni même, plus largement, pro-arabes), le Comité n'en a que plus de poids.

Le lobby juif américain accompagne donc Israël depuis sa création. Toutefois, si aucun Président ne peut se permettre le luxe de le négliger, il serait abusif de conclure à la soumission totale des hommes d'État à ces groupes, aussi efficaces et organisés soient-ils. Et lorsque Truman déclare qu'il ne peut agir au mépris de cette partie de l'électorat, il n'en affirme pas pour autant que c'est là sa seule motivation. En outre, quand bien même un dirigeant explique-rait ses choix par le poids du « lobby juif », il s'imposerait de remettre en question de tels propos. L'intérêt de se décharger ainsi de ses responsabilités en invoquant une « force sur-puissante » est évident. Le politologue américain A.F.K. Organski a ainsi observé que « la convic-tion que le lobby juif est très puissant » a permis aux décideurs politiques d'utiliser « l'influence juive » ou les « pressions politiques extérieures » pour justifier les politiques qu'ils considèrent avantageuses pour les États-Unis, « politiques qu'ils mèneraient de toute façon, quoi qu'en pense l'opinion juive[1] ».

Par ailleurs, les juifs ne sont pas les seuls à soutenir Israël. Au sein de la population américaine dans son ensemble, la sympathie pour l'État hébreu est réelle et ancienne. La société américaine est particulièrement sensible à la situation israélienne, pour des raisons mêlant conscience du drame de l'Holocauste et affinités culturelles.

Le génocide des juifs durant la Deuxième Guerre mondiale a naturellement ému les Américains, créant un réel lien de sympathie envers les juifs. Loin de l'Europe qui s'interrogeait de longue date (au moins depuis l'affaire Dreyfus) sur la « question juive », les États-Unis étaient plus enclins à trouver des points de rapprochement avec une communauté religieuse minoritaire. À quoi s'ajoute un sentiment de culpabilité dû au fait que l'accueil des juifs fuyant le nazisme fut très limité sur le territoire américain.

Ces deux peuples partagent, en outre, des caractères singuliers. Hier pionniers en quête d'un territoire à construire au nom de la liberté et loin des persécutions, les Américains

---

1. A.F.K. Organski, *The $36 Billion Bargain : Strategy and Politics in US Assistance to Israel*, Columbia University Press, 1990, p. 28.

retrouvent dans les difficultés actuelles des juifs à créer et sécuriser leur État les éléments qui font leur fierté. Les réactions arabes à l'installation de l'État hébreu sur leurs terres sont souvent comprises, outre-Atlantique, comme des comportements agressifs envers des frères occidentaux qui n'ont que trop souffert. La grille de lecture de la société américaine est profondément marquée par cette comparaison historique. Non seulement les Israéliens ont adopté depuis longtemps le mode de vie occidental (ce qui n'est pas tellement le cas de leurs voisins du Proche-Orient et du Moyen-Orient), mais surtout ils travaillent à l'installation d'une démocratie dans un environnement hostile.

Enfin, des raisons religieuses rapprochent Israël et les États-Unis. En effet, si les deux États se sont construits suivant des principes laïcs, la religion demeure un caractère essentiel de la société civile comme de la sphère politique. Dans les deux cas, la construction étatique a été motivée, en partie, par des considérations religieuses et, dans les deux cas, la non-discrimination est contrebalancée par l'omniprésence de la référence à Yahvé ou Dieu. (On verra en outre que la droite chrétienne américaine est très proche des idées sionistes.)

Toutefois, la population américaine dans son

ensemble n'apporte pas un soutien inconditionnel à Israël. Elle tendrait à exiger davantage de contreparties de la part d'Israël pour l'aide substantielle qu'il reçoit, surtout lorsque le déficit américain se creuse et qu'on demande des efforts aux citoyens américains.

Dès lors, suivis par une opinion publique plutôt favorable et poussés par un lobby extrêmement bien organisé, les présidents américains n'ont cessé de soutenir l'État hébreu. La politique américaine n'a pas pour autant été « linéaire ». Il faut dire que le contexte de la Guerre froide rendait les relations interétatiques à la fois plus complexes – le jeu d'alliances et d'influences interférant dans les rapports traditionnels – et plus lisibles – la grille de lecture se fixant essentiellement sur le point de savoir « dans quel camp » se situait tel ou tel État.

Si les États-Unis furent les premiers à reconnaître l'État hébreu, c'est avec l'aide soviétique (l'URSS lui ayant fourni des armes, officiellement venues de Tchécoslovaquie) qu'Israël a remporté la guerre de mai 1948. 78 % de la Palestine (contre 55 % selon le plan de partage) furent conquis et occupés, et les Palestiniens se trouvèrent contraints de quitter ces terres. Le reste du territoire (Cisjordanie et Gaza) tomba sous contrôle égyptien et jordanien. Cet épisode mit en lumière une possible extension de l'influence soviétique dans cette région traditionnellement dominée par l'Ouest, ce qui ne pouvait qu'interpeller les décideurs américains. Ainsi, aux affinités envers l'État naissant s'ajoutait la volonté de ne pas perdre un allié de l'Occident, tout ceci allant dans le sens d'un plus grand engagement de la Maison-Blanche. Un mémorandum secret adressé par le secrétaire d'État à la Défense au Conseil national de Sécurité le 16 mai 1949 faisait déjà état de l'utilité d'Israël en cas de conflit avec l'Union soviétique. Y était très précisément envisagée notamment la possibilité de se servir des forces israéliennes pour défendre la région et son pétrole[1].

En même temps, un soutien à Israël comportait le risque d'amener les États arabes à se placer de facto dans le giron soviétique. Les dirigeants moyen-orientaux n'hésitaient d'ailleurs pas à faire valoir ce point auprès de Washington. Henry Kissinger décrit ainsi la stratégie arabe face à l'Oncle Sam : « L'Amérique se trouva attirée au Moyen-Orient par la doctrine de l'endiguement, qui exigeait de faire barrage à l'expansion soviétique dans toutes les

---

1. Mémorandum sur « Les intérêts stratégiques américains en Israël », cité in Camille Mansour, *Israël et les États-Unis ou les fondements d'une doctrine stratégique*, Armand Colin, 1995, p. 40.

régions du monde, et par celle de la sécurité collective, qui favorisait la création d'organisations comme les Nations unies pour résister aux menaces militaires réelles ou en puissance. Or, dans leur grande majorité, les nations du Moyen-Orient ne partageaient pas les opinions stratégiques de l'Amérique. Moscou ne leur apparaissait pas comme une menace à leur indépendance, mais essentiellement comme un moyen de pression utile pour arracher des concessions à l'Ouest. Beaucoup des nouvelles nations parvinrent à faire croire, par exemple, que l'emprise communiste se révélerait plus dangereuse pour les États-Unis que pour elles-mêmes, et qu'il était inutile de rétribuer d'une façon ou d'une autre la protection de l'Amérique[1]. » Si l'ancien diplomate semble oublier l'attrait des puits de pétrole de la zone, sans doute aussi fort que celui de la lutte anti-communiste, il n'en demeure pas moins que cet élément a longtemps été déterminant dans la conduite de la politique dans le Moyen-Orient en général. On comprend mieux dès lors les ambiguïtés de la Maison-Blanche. En effet, celle-ci hésitait réellement sur la meilleure approche à adopter pour éviter l'expansion soviétique. Le même mémorandum qui envisageait les avantages d'Israël sur le plan militaire

1. Henry Kissinger, *Diplomatie*, Fayard, 1999, p. 472.

signalait le risque que certains juifs communistes immigrant vers l'État hébreu y développent leurs idées.

Autrement dit, le soutien américain à l'État hébreu ne fut pas immédiatement inconditionnel, même si les bases d'un rapprochement existaient dès le départ.

Après Truman, Dwight Eisenhower (Président des États-Unis de 1953 à 1960) poursuivit une politique de soutien tout en cherchant à réconcilier les « frères ennemis » en vue de former un front commun face à une URSS toujours plus menaçante. Il ne perdait pas non plus de vue le fait que l'État hébreu optait alors officiellement pour une politique de non-alignement.

Par ailleurs, les anciennes puissances coloniales continuaient à occuper le terrain, même partiellement. En 1956, la crise de Suez officialisa cette proximité entre Israël et l'Ouest tout en révélant des États-Unis peu enclins à suivre aveuglément l'État hébreu. Ils n'hésitèrent pas en effet à s'allier avec leur principal ennemi d'alors contre l'« expédition » emmenée par la Grande-Bretagne, la France et Israël en Égypte. Toutefois, si le coup porté aux puissances coloniales fut très dur, certains éléments amènent à nuancer le désaveu que celui-ci put constituer pour l'État hébreu. À l'époque, en effet, le secrétaire d'État aux Affaires étrangères, John Foster Dulles, réitérait régulièrement le soutien américain[1], et au moment de la crise de Suez, Washington chercha à négocier avec Israël, considérant que l'événement n'y portait pas foncièrement atteinte. Il se pourrait même que le retrait apparemment contraint du Sinaï ait fait l'objet d'un accord avec les États-Unis, qui auraient alors permis le détournement d'uranium enrichi américain en contrepartie[2]. Ce faisant, Eisenhower aurait aidé à l'acquisition de la technologie nucléaire, programme dans lequel la France était partie prenante. L'Hexagone constituait d'ailleurs le principal fournisseur d'armes à Israël durant les années 1950 et le début des années 1960, participant de ce fait au succès militaire retentissant de leur allié lors de la « guerre de 1967 » (dans le vocabulaire arabe) ou « guerre des Six Jours » (dans le vocabulaire israélien).

La victoire facile et écrasante de juin 1967 constitua un tournant dans la perception aussi

---

1. Par exemple, une communication de Dulles au ministère des Affaires étrangères énonçait : « Même sans lien formel, auquel nous parviendrons quand le moment arrivera, Israël doit se fier au fait que les États-Unis ne l'abandonneront pas. » Cité in Camille Mansour, *op. cit.*, p. 46.
2. Leslie et Andrew Cockburn, *Dangerous Liaisons : The Inside Story of the US-Israeli Cover Relationship*, HarperCollins, 1991, p. 8.

bien arabe qu'américaine, d'Israël. Cette guerre éclair d'initiative israélienne vit la débâcle des armées égyptienne, syrienne et jordanienne. Présentée comme une riposte à une agression décidée au Caire, elle était en réalité le fruit d'un « bluff » (comme Rabin notamment le révélera plus tard) et l'aboutissement d'une période de tensions croissantes. Au final, les troupes de l'État hébreu conquirent le Sinaï, la Cisjordanie et, au mépris du cessez-le-feu décrété par l'ONU et appliqué par les Arabes, le plateau du Golan. En réponse, la résolution 242 fut adoptée, exigeant un retrait de ces territoires en échange de la reconnaissance d'Israël par les États voisins. La version française de la résolution 242 parle « *des* territoires occupés », tandis que la version anglaise ne parle que « *de* territoires occupés », subtilité qui ne manquera pas de susciter une interprétation restrictive de la part des Israéliens et de leurs alliés.

La politique menée par l'État hébreu lui valut l'acceptation de sa supériorité militaire, que Washington allait continuer à conforter. Le Président Johnson s'engagea ainsi, quelques mois plus tard, à assurer le niveau de défense d'Israël, se substituant à la France comme fournisseur principal, sinon exclusif, d'armes à l'État hébreu. Celui-ci acquit le statut de puissance régionale, incontournable pour les États-Unis qui continuaient toutefois à chercher un compromis permettant de satisfaire les Arabes. Les dirigeants des pays voisins, pour leur part, comprenaient que l'Organisation des Nations unies, malgré des positions moins partiales que celles de Washington, n'était pas en mesure de faire appliquer le droit international. Mieux valait dans ce cadre reconnaître les États-Unis comme médiateur indispensable, quitte à agir comme le voulait l'ennemi.

Ce rôle contradictoire de médiateur et de soutien à Israël ne cessa dès lors de se renforcer. Le couple Nixon-Kissinger plaça Israël au cœur de la lutte contre le communisme. Ils armèrent ainsi l'État hébreu dans le but de maintenir sa supériorité militaire. L'issue de la guerre de 1973 n'en sera que plus inattendue.

« Il n'y a plus d'espoir d'un accord pacifique, notre décision est de combattre », déclarait le Président égyptien Anouar el-Sadate dès 1971. Malgré ses avertissements, il ne fut pas pris au sérieux, la scène internationale ayant admis la puissance militaire d'Israël comme suffisamment dissuasive. Cela ne suffit pourtant pas à freiner les dirigeants syriens et égyptiens dans leur volonté de reprendre les terres occupées depuis 1967.

Ainsi, le 6 octobre 1973, jour de la fête juive de Kippour et en pleine période de Ramadan pour les musulmans, les troupes des deux États arabes avancèrent, d'un côté dans le Sinaï, de l'autre sur le plateau du Golan. Une fois l'effet de surprise retombé, Israël reprit rapidement le dessus, ignorant la résolution 338 adoptée par l'ONU le 22 octobre, exigeant l'arrêt des opérations militaires. Seule une menace d'intervention soviétique accompagnée d'une « alerte nucléaire de troisième degré » de la part des États-Unis, parvint à mettre un terme à l'élan israélien.

L'État hébreu sortit victorieux de cette épreuve sur le plan militaire, mais pas sur le plan politique. Non seulement les Arabes récupéraient une partie des terres perdues en 1967, mais surtout ils vivaient comme une revanche cette attaque dont l'effet de surprise avait donné quelques résultats. D'autre part, les Israéliens devaient beaucoup au pont aérien mis en place par la Maison-Blanche, après que Kissinger eut constaté les difficultés imprévisibles rencontrées par l'armée israélienne, face aux Arabes. Enfin, les États-Unis réalisèrent que les frustrations des voisins d'Israël n'étaient plus gérables en l'état et qu'un effort s'imposait de la part de leur allié. Ainsi, tout en reconduisant leur aide substantielle (et vitale), les dirigeants américains commencèrent à presser Israël de relâcher quelque peu la tension. Mais les Israéliens ne l'entendaient pas ainsi. Henry Kissinger rapporte à un collègue israélien : « Je demande à Rabin (Premier ministre de 1974 à 1977) de faire des concessions. Il me dit que c'est impossible, qu'Israël est trop faible. Alors je lui donne plus d'armes, et il me dit qu'il n'a plus besoin de faire des concessions maintenant qu'Israël est fort[1]. » Par sa fameuse politique des « petits pas », Kissinger tenta alors de concilier exigences israéliennes et efforts, même minimes, en direction des États arabes afin d'éviter un nouveau conflit. La démarche voulait s'inscrire dans la durée mais le processus était si long que les résultats apparurent particulièrement maigres, Kissinger ne parvenant à satisfaire aucune des parties.

Contrairement à ses prédécesseurs républicains Nixon et Ford, le Démocrate Jimmy Carter ne voulait pas d'un compromis favorable à Israël mais bien plutôt d'un règlement du conflit satisfaisant pour les deux parties. Le nouveau Président semblait en effet se sentir particulièrement concerné par la situation des Palestiniens, inscrivant sa démarche dans une volonté plus globale et affichée d'intervenir en faveur de la paix partout où cela était possible.

Pour autant, l'aide à l'État hébreu demeurait

1. Edward Sheehan, *The Arabs, Israelis and Kissinger : A Secret History of American Diplomacy in the Middle East*, New York, Readers Digest Press, 1976, p. 200.

considérable et continuait à augmenter, même en l'absence de concessions israéliennes. Il faut dire que la victoire en 1977 du parti de droite, le Likoud, rendait la tâche encore plus difficile. Bref, la politique américaine continuait à donner des signaux contradictoires : promotion des droits de l'Homme et vision d'un « ordre mondial » pacifié d'un côté ; de l'autre, soutien concret à Israël de sorte à maintenir sa suprématie sur la région. La diplomatie de l'administration Carter aboutit à la paix israélo-égyptienne, qui ne réglait en rien la situation des Palestiniens. Le traité de paix entre Sadate et Begin, signé en 1979, permit au premier de récupérer le Sinaï – mais à quel prix… En effet, par les accords de Camp David, Israël n'obtenait pas seulement la levée d'une menace de guerre avec l'État arabe le plus puissant de la région, mais surtout voyait le monde arabe se diviser davantage et devenir de ce fait toujours plus incapable de formuler des demandes fortes et cohérentes sur la question palestinienne. L'Égypte fut ainsi exclue de la Ligue arabe après en avoir été le pilier. Sadate fut assassiné le 6 octobre 1973 et ses funérailles eurent lieu dans l'indifférence de son peuple, qui ne cessa de lui reprocher cette « paix séparée ».

L'arrivée au pouvoir de Ronald Reagan en 1981 marqua un nouveau tournant dans les relations avec Israël. Ce dernier fut tout de suite considéré comme un allié et, malgré les crises, continua à être traité comme tel.

En 1982, l'invasion israélienne du Liban démontra combien l'État hébreu avait confiance dans ses rapports avec Washington. Si les États-Unis pouvaient en effet soutenir Israël (qui avait par ailleurs rempli ses engagements envers l'Égypte en lui restituant la totalité du Sinaï) dans sa quête de sécurité, il n'en allait pas de même eu égard aux plans du ministre de la Défense d'alors, Ariel Sharon. Ce dernier fut à l'origine d'une progression incessante dans le territoire libanais, au mépris des appels de la Maison-Blanche qui n'en tint pas pour autant rigueur aux responsables israéliens.

La victoire des Républicains à la succession de Reagan ne fut toutefois pas synonyme de continuité dans cette politique de proximité, la scène internationale imposant ses changements. Désireux au départ de maintenir cette relation forte avec Israël, le Président Bush dut rapidement se concentrer sur la gestion des relations extérieures, marquées par l'effondrement de l'Union soviétique et, dans une moindre mesure, par la renaissance de la puissance économique européenne.

La guerre du Golfe démontra ensuite que le soutien avéré de Washington à Israël ne lui aliénait pas la coopération des Arabes. La riposte à l'invasion du Koweït par Saddam Hussein permit en effet aux États-Unis de diriger une action militaire regroupant presque tous les États de la région et, *in fine*, d'entamer un véritable remodelage de la zone. En contrepartie, toutefois, le Président Bush ne pouvait ignorer les revendications palestiniennes. Il poussa alors l'État hébreu vers la Conférence de Madrid de 1991, dont les résultats furent visibles sous la présidence de Bill Clinton. Israël pouvait y participer sans crainte. Désormais, l'État hébreu disposait d'une domination stratégique et militaire, d'une supériorité technologique et économique qui le mettait à l'abri de toute surprise éventuelle.

Bill Clinton commença par faire une série de déclarations de soutien à Israël, considérant que les colonies n'étaient pas « illégales », que les territoires de Gaza et de Cisjordanie étaient « contestés » et non plus « occupés », ou encore que le retour des réfugiés palestiniens pouvait poser problème. Ses excellentes relations avec le Premier ministre Yitzhak Rabin (chef du gouvernement de 1992 à 1995) confortaient encore l'alliance entre les deux pays. Les distances prises par la Maison-Blanche par rapport aux revendications des Palestiniens étaient telles que les dirigeants israéliens négociaient avec les représentants de l'OLP tandis que Washington les excluait des rencontres qu'elle arbitrait. Les accords d'Oslo (visant à fixer des étapes pour l'application des résolutions 242 et 338 de l'ONU) furent le résultat de ces négociations secrètes auxquelles les États-Unis apportèrent ensuite un appui considérable.

Au fil du temps, la position de la Maison-Blanche sous Clinton évolua vers une plus grande prise en compte des aspirations du peuple palestinien, sans pour autant remettre en cause l'alliance avec l'État hébreu. Mais ce fut de l'intérieur d'Israël que l'éloignement apparut. L'assassinat de Rabin privait en effet Clinton de son interlocuteur privilégié. Plus encore, alors que Washington soutenait Shimon Peres, la population, victime d'une recrudescence des attentats (le Hamas et toute la mouvance islamiste s'opposant au processus de paix), plaça Benyamin Netanyahou aux commandes de l'État. Dans ces circonstances, Arafat devenait plus enclin au dialogue encouragé par Clinton que les nouveaux responsables d'Israël. L'arrivée d'Ehud Barak à la tête du gouvernement israélien en mai 1999 ne permit pas plus d'avancées dans le processus de paix, malgré les efforts déployés par le Président américain à la fin de son mandat.

George W. Bush, marqué par une vision iso-lationniste de la politique extérieure américaine, mit d'abord l'accent sur les intérêts pétroliers des États-Unis au Proche et Moyen-Orient. Mais le 11 septembre changea la donne. Afin de partir en guerre en Afghanistan avec un maximum d'alliés, l'administration Bush s'engagea plutôt en faveur des Palestiniens dans un premier temps. Mais bientôt, conformément aux souhaits d'Ariel Sharon (Premier ministre depuis février 2001), les discours de la Maison-Blanche pointèrent du doigt l'Autorité palestinienne et son président Yasser Arafat.

Pour mieux comprendre cette évolution, il faut connaître les positions de ceux qui, autour de « W », devinrent ses principaux conseillers après le choc du 11 septembre.

Dès les années 1970, dans le contexte de leur lutte contre le communisme, les néoconservateurs avaient pour modèle le sénateur démocrate Henry « Scoop » Jackson, auteur d'un amendement qui conditionnait le commerce avec l'URSS à une émigration facilitée des juifs soviétiques vers Israël.

Cette solidarité s'explique, en partie, par le fait que nombre de néoconservateurs sont juifs – *en partie* seulement, car ceux qui ne le sont pas n'en sont pas moins de fervents défenseurs d'un État hébreu le plus puissant possible. Tous sont sionistes et tous considèrent qu'Israël aujourd'hui est dans la situation de l'Amérique du XVIIᵉ siècle : elle doit installer sa démocratie dans un environnement hostile. La comparaison entre les pèlerins du *Mayflower* et les Hébreux est récurrente ; ils se considèrent chacun comme le « peuple élu » de Dieu.

Les néoconservateurs ont été déçus sur ce point par les différents présidents américains, démocrates (Johnson et Carter) mais aussi républicains (Bush père, jugé bien trop dur envers les gouvernements israéliens). L'ONU, pour sa part, est également mal vue des néoconservateurs, en raison de la résolution qui a longtemps accusé le sionisme d'être une forme de racisme.

Le soutien américain à Israël est le fait de groupes de pression comme le Jewish Institute for National Security Affairs (JINSA) qui, jusqu'en janvier 2001, comptait dans ses rangs Dick Cheney, Richard Perle, John Bolton ou encore Douglas Feith (tous deux sous-secrétaires d'État dans la première administration Bush), et le Center for Security Policy (CSP) qui rassemblait, il y a peu, vingt-deux des plus hauts responsables de l'administration Bush. Ces deux organismes, en prise directe avec le gouvernement américain depuis des années, préconisaient notamment le soutien à la politique de Sharon et le rejet des accords d'Oslo. Il existe cependant des divergences entre les néoconservateurs, sur ce point comme sur d'autres. Paul Wolfowitz, par exemple, est favorable à la création d'un État palestinien. Mais ce genre d'opinions demeure très minoritaire. Et tous sont très proches du Likoud, allant jusqu'à rédiger des documents à l'attention de ses dirigeants (comme Richard Perle en 1996 pour Benyamin Netanyahou alors candidat).

Israël trouve d'autre part, dans la société américaine, un soutien qui peut paraître surprenant chez les « Born Again », ces chrétiens fondamentalistes qui ont trouvé la foi subitement au cours de leur existence (d'où leur nom : « nés de nouveau »). Cette alliance a priori contre nature entre chrétiens et Israéliens trouve son explication dans une interprétation littérale de la Bible. Ainsi, la création de l'État d'Israël, puis le retour des Juifs en Palestine sont, selon ces croyants, les conditions du retour du Christ. Il va de soi qu'une fois le Messie de retour parmi les hommes, seuls ceux qui le reconnaîtront comme tel rejoindront le royaume de Dieu, laissant les autres subir l'Armageddon. Dès lors, les Juifs qui voudraient le demeurer sont destinés à périr. Mais auparavant, donc, il faut que l'État d'Israël recouvre l'ensemble des terres promises. C'est pourquoi la droite religieuse participe activement au financement d'organisations israéliennes. L'aide matérielle collectée par les Églises évangélistes représente des dizaines de millions de dollars. Ce soutien est si bien connu d'Israël que, lors du bombardement du réacteur irakien Osirak, le Premier ministre israélien Menahem Begin appela Jerry Falwell, chef de file évangéliste, avant Ronald Reagan, afin de faire comprendre au mieux les motivations de cette action auprès des Américains. Les « Born Again » jouent ainsi le rôle de lien entre Américains et Israéliens et, par conséquent, d'interlocuteur précieux pour les décideurs de l'État hébreu.

Avec 70 millions d'Américains « Born Again » et leurs charismatiques représentants, il est clair que la question du conflit israélo-palestinien ne peut être envisagée comme elle l'est en France par exemple. « La Bible est très claire sur le pays de l'Alliance : Dieu a promis cette terre aux Juifs. Mais je considère aussi qu'Israël et les États-Unis sont des alliés mutuels et naturels dans le conflit qui oppose le fondamentalisme islamique aux démocraties occidentales », indique le Républicain chrétien Gary Bauer, proche de William Kristol, l'un des porte-étendards des néoconservateurs. Non seulement cette déclaration rappelle les liens qui existent entre les deux États, essentiellement depuis les années 1970, mais elle souligne également combien les « Born Again » ont su adapter leur message à l'actualité, opposant – non sans simplisme ni amalgame – Israël et les États-Unis, deux démocraties, à la résistance palestinienne alliée à l'islamisme voire à Al Qaïda (d'où l'idée de lutte commune). En outre, la même rhétorique est utilisée par Sharon qui déclara : « À chacun son Ben Laden ; le nôtre, c'est Arafat. » C'est là un point de rencontre essentiel entre les « Born Again » et les néoconservateurs.

Ainsi, alors que l'alliance entre Israël et les États-Unis ne découle pas de calculs stratégiques clairs de la part des décideurs, elle n'a cessé de se renforcer au fil du temps. Le « lobby juif » ne suffit nullement à expliquer cette relation exceptionnelle, même s'il est clair que des organismes comme l'AIPAC contribuent fortement à son existence. Ce n'est par exemple pas de son fait si aujourd'hui les pro-sionistes entourant G.W. Bush ont su se faire entendre à Washington.

Sans doute l'observation des rapports entre les États-Unis et le monde arabe peut-elle éclairer davantage les fondements de cet attachement à Israël. Crainte de l'extension communiste dans un contexte de Guerre froide, dirigeants arabes incapables de s'entendre durablement, peur aujourd'hui d'un « péril vert » sont autant de facteurs apparus depuis 1947 qui ont contribué à renforcer l'alliance entre l'État hébreu et les États-Unis.

4

Conflits régionaux et redistribution des cartes

Nombreux sont les conflits venus émailler la disposition des États issue de la décolonisation. Sitôt leur indépendance déclarée, ces nations se sont ainsi trouvées confrontées à des problèmes destructeurs dans lesquels les puissances occidentales jouaient souvent, comme au temps des colonies, un rôle essentiel. Au Proche-Orient, le Liban par exemple a été très affecté par des luttes mêlant divisions internes et combats importés et a souffert du soutien officieux des Américains à la politique israélienne sur place. À l'est, Afghanistan et Pakistan ont connu des événements qui ont bouleversé les situations sociale et politique, livrant ces deux pays aux mains d'un islam déformé et instrumentalisé à des fins politiques, ce dont on constate aujourd'hui encore les retombées funestes. Puis ce fut le tour de l'Iran et de l'Irak de se déchirer. Pendant ce temps, partout ailleurs, les deux superpuissances remplaçaient la Grande-Bretagne et la France en soutenant des régimes qu'elles rendaient de ce fait de plus en plus dépendants. La présence des États-Unis, le plus souvent au nom de la lutte contre « l'Empire du Mal », est le point commun à tous ces conflits majeurs.

L'Afghanistan

Dans le contexte de la Guerre froide, le monde arabo-musulman ne fut pas épargné par la bipolarité. Dès les années 1930, l'Occident en général, et les colonisateurs français et britannique en particulier, utilisèrent les mouvements se réclamant de l'islam le plus radical pour contrer des socialistes comme Nasser en Égypte ou des communistes comme en Syrie, ceux-ci leur paraissant constituer une plus grande menace pour leurs intérêts dans cette région que les islamistes. La stratégie consistant à s'appuyer sur les éléments extrémistes pour défaire ceux qui se référaient à l'islam dans le cadre d'un programme politique modéré est née dans ce contexte de divergences naissantes entre Est et Ouest. Si les islamistes d'alors ne faisaient pas usage de la même violence qu'aujourd'hui, il n'en demeure pas moins que les deux puissances européennes – alors puissances mondiales – n'étaient pas très regardantes sur les états de services de leurs alliés de circonstance.

Ainsi, face à l'URSS, l'Arabie Saoudite, désireuse par ailleurs d'assurer la direction du monde musulman, se rapprocha autant que possible de l'Occident et plus particulièrement des Américains, trop heureux de la présence de cet allié contre l'ennemi communiste. En somme, les pays musulmans ayant accédé à l'indépendance (sauf les régions de l'ex-URSS et la Bosnie) se divisaient entre « progressistes », liés à Moscou (Algérie, Libye, Égypte, Irak, Yémen du Sud, Indonésie) et « alliés de l'Occident » (Arabie Saoudite et Turquie, notamment). « Pour les États-Unis, l'instrumentalisation de l'islam ne peut constituer un danger si l'on excepte des crimes comme les attentats contre le World Trade Center. Elle peut, en revanche, représenter une arme : un rempart contre le communisme en Afghanistan, par exemple[1]. »

L'histoire afghane est marquée par la convoitise que ce pays a très tôt suscitée chez les conquérants. Objet de disputes entre les empires britannique et russe – successivement sous l'influence de Londres (Traité de 1879) et sous la tutelle de Moscou –, le territoire afghan

---

1. *Dictionnaire mondial de l'islamisme*, *op. cit.*, p. 276.

sera l'enjeu de nombreux conflits et rébellions. 1978 marqua le début d'une nouvelle insurrection, au nom de l'islam. Non seulement cette révolte soutenue par Washington s'inscrivait dans la lutte contre le communisme, mais l'Afghanistan présentait en outre des avantages géostratégiques évidents. C'était en effet une voie de transit pour les ressources énergétiques d'Asie centrale.

Les États-Unis s'impliquèrent dans ce conflit par l'intermédiaire de relais « locaux ». Organe placé sous l'autorité du Président, la CIA joua un rôle majeur dans le soutien actif aux islamistes, allant jusqu'à « créer » Ben Laden, pour reprendre les accusations du FBI. Il est en effet avéré que la CIA fit appel à Oussama Ben Laden pour servir d'intermédiaire entre les États-Unis et les recrues musulmanes. Son rôle était central. Chargé du recrutement, le milliardaire saoudien finança personnellement les « combattants de la liberté » et organisa le passage des armes américaines. C'est alors qu'apparurent dans la région les missiles sol-air Stinger, aujourd'hui célèbres pour leur capacité à abattre les hélicoptères américains en Irak.

Un rapport du Congrès américain révèle que la CIA finança les moudjahidin afghans à hauteur de 150 à 300 millions de dollars par an sur des comptes bancaires contrôlés par l'ISI (les services secrets pakistanais). Il est également avéré que l'Agence protégea le cheikh Omar Abdel Rahman, accusé d'être le principal responsable de l'attentat de février 1993 contre le World Trade Center, en raison de ses services rendus lors de la guerre d'Afghanistan. Enfin, le représentant de la CIA à Dubaï, Larry Mitchell, rendit une visite secrète à Oussama Ben Laden, alors hospitalisé, le 15 juillet 2001. On ne sait s'il s'agissait là d'une initiative personnelle ou commanditée, mais en tout état de cause cette anecdote illustre le jeu trouble et les relations de longue date entre la CIA et son principal ennemi d'aujourd'hui.

Riyad avait également intérêt à ce conflit, représentant pour la monarchie l'occasion de prendre part à une lutte qui affaiblissait une autre puissance régionale potentielle. Surtout, l'envoi de nombreux Saoudiens vers l'Afghanistan présentait un avantage certain, Riyad voyant ses éléments les plus extrémistes quitter le territoire pour une cause qui devait les occuper pendant un moment. Les États-Unis cherchant à enliser l'ennemi dans une sorte de Vietnam soviétique (qui, outre la défaite, devait permettre la ruine de l'URSS du fait de ses besoins en hommes et en armes), les recrues saoudiennes étaient essentielles. La durée de la guerre, au bout du compte, eut bel et bien raison de la puissance communiste, et les

Saoudiens purent fournir tout le « matériel humain » nécessaire.

Par la suite, en raison de la situation géostratégique de l'Afghanistan, la priorité pour les États-Unis fut longtemps d'assurer la sécurité de la zone, même au prix de l'établissement d'un régime obscurantiste. Avec le soutien de l'Arabie Saoudite, Washington favorisa l'accession puis le maintien au pouvoir des Talibans, et ce, malgré les attentats terroristes contre les ambassades américaines de Nairobi et Dar es-Salaam en août 1998, et au mépris des sanctions prises en décembre 1999 par l'ONU contre le régime afghan. En 1997, en effet, en pleine guerre civile afghane, l'Arabie Saoudite associée à la société américaine Unocal cédait aux Talibans qui exigeaient la construction d'infrastructures et d'écoles coraniques. Ce faisant, ni la monarchie ni Washington ne s'embarrassaient de scrupules sur les conséquences d'une telle aide au régime afghan, l'essentiel étant de mener à bien les projets d'installation de deux oléoducs, pour un montant de quelque 4,5 milliards de dollars, avec prêt de la banque mondiale... Et jusqu'au 11 septembre 2001, Riyad apporta son soutien financier aux Talibans (à hauteur de 700 millions de dollars par an).

Aujourd'hui encore, l'énergie de la mer Caspienne, sous-exploitée, donne lieu à des conflits d'intérêts à propos des voies d'acheminement. À l'heure actuelle, la Russie assure le transit, mais d'autres projets sont envisagés par les compagnies et les États. L'un d'entre eux, qui, évitant l'Iran comme la Russie, a la préférence de Washington, prévoit un oléoduc ou gazoduc passant par l'Azerbaïdjan jusqu'à la Turquie à travers la Géorgie (axe Bakou-Ceylan). L'autre, trois fois moins long et moins cher, partirait de la Caspienne en passant par l'Afghanistan, pour des raisons de sécurité, et le Pakistan allié pour aboutir à la mer d'Oman.

Si tout semblait concourir à réunir Washington, Riyad et résistants afghans, il n'en demeure pas moins que ces alliances nourrirent, *in fine*, des mouvements pour qui les États-Unis, comme l'Arabie Saoudite, sont des ennemis.

Il en fut de même en Irak et en Iran.

L'Irak

Après le 11 septembre 2001, l'administration Bush établit très rapidement un lien entre les attentats et l'Irak. Se posa alors la question des rapports qu'entretenaient jusque-là les États-Unis et le régime de Saddam Hussein. L'histoire de ce jeune État est marquée, de la présence britannique à l'opération « Iraqi Freedom » menée par Washington, du long conflit opposant l'Irak à l'Iran à la guerre du Golfe de 1991, par des occupations successives et, en toile de fond permanente, les regards de convoitise jetés par les grandes puissances. Les États-Unis ne font pas exception et n'ont pas attendu 2001 pour s'intéresser de très près aux affaires irakiennes.

Avant d'exister en tant qu'État, l'Irak faisait partie de l'Empire ottoman, puis passa sous domination britannique, conformément aux accords Sykes-Picot de 1916 qui dépeçaient la zone et organisaient le partage entre Britanniques et Français. Quatre ans plus tard, la nation irakienne se souleva contre l'occupant européen qui, malgré le mandat que la Société des Nations lui avait donné sur la zone par les accords de San Remo en 1920, décida de réduire sa présence. Un « gouvernement arabe provisoire » fut proclamé le 14 novembre 1920, la fin du mandat étant prévue pour 1932. L'Irak devint alors le premier État arabe à accéder à l'indépendance, suivant les frontières tracées en 1925 par la Grande-Bretagne. Toutefois, avant son départ, la Grande-Bretagne avait fait signer un accord prévoyant la présence de bases militaires britanniques après l'indépendance irakienne.

L'équilibre politique conçu par les occupants européens était particulièrement fragile. En installant au pouvoir des membres de la minorité sunnite et en excluant *de facto* les chiites et les Kurdes, la puissance mandataire avait, dès 1920, assuré à une partie de la population une autorité dénuée de légitimité. Le soutien apporté par la suite au régime de Saddam Hussein par les nouvelles grandes puissances – parmi lesquelles les États-Unis – suivra la même logique, contraire à l'autodétermination des peuples (comme on le verra plus loin, l'occupation américaine qui suit la guerre de 2003 n'est pas sans rappeler celle du siècle dernier).

En cette période de décolonisation dont l'Irak avait été le héraut, le monde arabe était en ébullition. Lorsque les Officiers Libres emmenés par Gamal Abdel Nasser prirent le pouvoir en Égypte, l'Irak, comme tous les pays de la région, jeta un regard admiratif sinon envieux sur ce voisin victorieux. En 1958, l'armée irakienne renversa la monarchie et plaça le général Kassem à la tête de la nouvelle République.

Mais dans le même temps, le parti socialiste arabe Baas prit de l'ampleur et, cinq ans plus tard, en 1963, renversa à son tour le pouvoir en place. Constitué en Syrie en 1947, ce parti dont le nom signifie « renaissance » développa ensuite des antennes en Jordanie, au Liban puis en Irak. Peu à peu, il s'imposa dans ce dernier pays jusqu'à en devenir l'unique force, en 1968. Saddam Hussein était alors l'un des hommes clés du parti révolutionnaire. Après deux années de prison, il fut élu secrétaire général du Baas et participa au coup d'État dirigé par Hassan al-Bakr contre Kassem. Ensemble, les deux hommes nationalisèrent alors les compagnies pétrolières, fondant leur programme, conformément aux thèses baasistes, sur l'idée d'émancipation de la Nation arabe de l'emprise des grandes puissances anciennement colonisatrices.

Toutefois, il semblerait que Saddam Hussein et le parti aient eu très tôt des liens avec Washington, sans lesquels ils n'auraient pu accéder au pouvoir. Ainsi, selon Habib Ishow, chercheur au CNRS aujourd'hui à la retraite, « il est utile de rappeler que Saddam Hussein et les baasistes sont venus au pouvoir à l'aide d'un coup d'État militaire organisé avec le concours de la CIA contre le régime du général Kassem, qui fut renversé le 8 février 1963 et fusillé[1] ».

Pour Pierre-Jean Luizard, c'est plus généralement le soutien occidental qui permit la pérennité de cette situation politique : « Avant la fin des années 1970, le renouveau de la lutte armée du mouvement kurde et du parti communiste coïncida avec le retour du mou-

---

1. Habib Ishow, « Quelles perspectives politiques à venir pour l'Irak ? », in *Défense nationale*, juin 2004, p. 168.

vement religieux chiite, après plus d'un demi-siècle de traversée du désert. Sans intervention extérieure, le régime baasiste serait probablement tombé à ce moment-là. Mais Washington et les grandes puissances en décidèrent autrement. Face au danger de la révolution islamique en Iran, ils permirent au régime de Saddam Hussein de survivre, au prix de stratégies à répétition[1]. »

En effet, si la monarchie avait été installée au temps de l'occupation britannique sur des bases ethniques, qui en faisaient un gouvernement nullement représentatif, le parti Baas, longtemps soutenu par les grandes puissances, ne remit pas en cause cet état de fait, au contraire. En mettant en valeur le seul caractère arabe de l'Irak et en faisant roi Fayçal, un hachémite appartenant à la communauté sunnite minoritaire, les Britanniques avaient, dès 1920, construit une entité excluant les chiites et les Kurdes. Avec le parti Baas et son idéal de grande nation arabe, l'exclusion permise par l'appui extérieur se prolongea.

Il faut dire que l'idée recèle un pouvoir d'attraction indéniable, et ce, pour toute la région. Depuis la fin du XIXe siècle, en effet, le concept

---

1. Pierre-Jean Luizard, « Irak, comment éviter la partition ? », in *Politique internationale*, n° 103, printemps 2004, p. 143.

de « nation arabe » ne cesse de proposer un espace de solidarité imaginé, rêvé, fantasmé, entre des populations qui se retrouveraient ainsi unies dans une communauté dépassant les frontières géographiques le plus souvent tracées par le colonisateur européen. Dès lors, si le caractère arabe est difficile à définir, il n'en revêt pas moins une force symbolique considérable dans l'imaginaire commun. Mais pas seulement. L'unité n'a cessé d'interpeller les leaders politiques comme les populations de la région, à l'instar de Nasser ou du parti Baas. L'invasion du Koweït par le dictateur irakien, faite notamment au nom de l'expansion de la « nation arabe », illustre la commodité et la puissance de cette idée.

Saddam, arrivé au pouvoir en 1979, en remplaçant le président de la République démissionnaire Hassan al-Bakr, obtiendra ainsi rapidement le soutien de l'Occident, qui cherche alors à contenir l'Iran de Khomeyni.

Au moment où Saddam Hussein prit la tête de l'Irak, l'Iran était en effervescence et les intérêts américains (incarnés par le shah) sérieusement menacés. Le 22 septembre 1980, alors que la révolution islamique emmenée par Khomeyni battait son plein, Saddam envahit l'ouest de l'État perse. Il était armé par l'Occident et les monarchies du Golfe qui craignaient les revendications révolutionnaires venues d'Iran et la position hégémonique que cet État cherchait à acquérir dans toute la région. Fin 1983, Donald Rumsfeld fut envoyé par le Président Reagan pour assurer Saddam de l'« amitié » et du « soutien matériel » des États-Unis. L'année suivante, les renseignements fournis par la CIA permirent au régime irakien de lancer ses attaques chimiques contre les troupes iraniennes. Le soutien ne s'arrêta pas là : le 21 mars 1986, à l'ONU, les États-Unis allèrent jusqu'à opposer leur veto à une déclaration du Conseil de sécurité condamnant l'utilisation d'armes chimiques par l'Irak. Saddam pouvait donc tranquillement gazer la ville kurde d'Halabja en 1988, faisant 5 000 victimes. En septembre de la même année, le Département américain du Commerce approuva la fourniture à l'Irak de toxines à usage militaire du charbon et du botulisme. Mais les États-Unis alors présidés par Ronald Reagan armaient également la République islamique d'Iran. Cette stratégie apparemment contradictoire ne visait en premier lieu qu'à limiter la propagation des thèses iraniennes et, en second lieu, à neutraliser au maximum les deux puissances et à empêcher l'Irak de dominer la zone.

La guerre s'acheva après huit ans de combats, en août 1988. Les deux pays sortaient ruinés du conflit, qui avait fait environ un million de victimes.

Sur le plan intérieur, le régime de Saddam tourna très vite à la dictature. Dès son arrivée au pouvoir avec Al-Bakr, à la fin des années 1960, il s'était débarrassé des opposants, et plus tard, par le biais du CCR (Conseil du Commandement de la Révolution), avait placé à ses côtés des membres de sa famille et des personnes originaires, comme lui, de Tikrit. Les méthodes employées sont caractéristiques d'un régime totalitaire : culte de la personnalité, absence d'opposition, endoctrinement. Ainsi, dès 1977, Saddam Hussein expliquait comment former les plus jeunes : « Afin d'éviter que le père et la mère n'exercent une influence rétrograde au foyer, nous devons armer le petit d'une lumière intérieure afin qu'il repousse cette influence. Certains pères nous ont échappé pour diverses raisons, mais le jeune garçon est toujours entre nos mains... L'unité de la famille doit être en harmonie avec des coutumes centralisées, réglées par la ligne et les traditions révolutionnaires... L'élève rompu à se mouvoir à l'intérieur de structures diverses mais toutes parfaitement organisées saura le moment venu rester debout sous le soleil, tenant son arme à la main jour et nuit sans flancher... Lorsqu'on lui demandera d'affronter l'impérialiste ou de monter à l'assaut dans cette région troublée, il le fera parce qu'il aura pris l'habitude, dès l'enfance, de tout accomplir de façon ordonnée[1]. »

Le rapport conjoint de la FIDH et de la HRA France dont est extrait ce discours constate sur l'ensemble de la période de présidence de Saddam Hussein une série d'atteintes fondamentales aux droits de l'Homme : répression, arrestations et détentions arbitraires, traitements inhumains et dégradants, exécutions, décapitations de femmes, disparitions, arabisation forcée et déportation ou encore corruption. « Sous couvert de lutte contre "l'ennemi extérieur", qu'il soit iranien, koweïtien, etc., la répression est essentiellement dirigée contre l'ensemble du peuple irakien dont des communautés entières sont suspectées d'être des ennemis de la Nation comme en témoigne l'exemple des Irakiens chiites[2]. » Personne au sein de la communauté internationale ne pouvait ignorer le terrible sort de ce peuple. De trois à quatre millions d'Irakiens devinrent des réfugiés

---

1. Discours « Al dimuqratiyya masdar quwwwa li'l-fard wa'l miytama », cité dans le rapport de la FIDH (Fédération internationale des Ligues des droits de l'Homme) et de la HRA (Human Right Alliance) France, intitulé « Irak : une répression intolérable, oubliée et impunie », rendu en 2001 et couvrant plus de deux décennies.
2. Rapport FIDH et HRA France, *op. cit.*, p. 6.

pendant cette période, et environ un million étaient des déplacés internes. En outre, plusieurs opposants au régime furent assassinés à l'étranger[1]. Et le régime agissait au grand jour.

Manipulation de causes mobilisatrices, régime dictatorial et appui des nations occidentales furent ainsi les ingrédients essentiels du maintien du régime totalitaire de Saddam Hussein.

Alors que l'Irak n'était indépendant que depuis six ans, il revendiqua dès 1938 la souveraineté sur le Koweït. Indépendant en 1961 et reconnu deux ans plus tard comme tel par l'Irak, le petit État n'en demeurera pas moins convoité pour ses richesses pétrolières et son accès maritime.

Dans la nuit du 2 août 1990, plusieurs centaines de chars irakiens franchirent la frontière du Koweït. Le 8 août, Saddam Hussein proclamait la fusion des deux pays. Le 6 août, la résolution 661 adoptée par le Conseil de sécurité des Nations unies imposait un arrêt de toutes les activités militaires mais aussi financières avec l'Irak. Le 29 novembre de la même année, la résolution 678 posait un ultimatum : si l'Irak ne se retire pas du Koweït avant le 15 janvier

---

1. Pour ne donner qu'un seul exemple, rappelons celui de l'ayatollah Saied Mahdi al-Hakim, tué à Khartoum par un diplomate de l'ambassade d'Irak.

suivant, « tous les moyens nécessaires » pourront être employés pour l'y contraindre. Le 25 janvier, l'opération « Desert Storm » (« Tempête du désert ») était lancée contre l'Irak. La coalition emmenée par les États-Unis avait su réunir de nombreux États[1], y compris du monde arabe, sans doute au prix du non-engagement d'Israël – que ce conflit concernait pourtant, puisque Saddam Hussein tira des missiles sur l'État hébreu en guise de riposte. L'Arabie Saoudite fut également visée, mais sans grand dégât. Ayant accepté d'accueillir des troupes américaines sur son sol, elle souffrait bien davantage des contestations internes émanant des religieux lui reprochant d'accepter les « impies sionistes » sur les Lieux Saints de l'islam.

Pendant les cinq premières semaines (entre le 17 janvier et le 23 février), l'opération aérienne détruisit sans difficultés les principales forces de ce qui fut souvent décrit alors comme la « quatrième armée du monde ». Il ne fallut plus

---

1. Une trentaine de pays suivirent ainsi les États-Unis : le Canada, l'Argentine, la Suède, la Norvège, le Danemark, la Belgique, l'Angleterre, la Suisse, les Pays-Bas, la Tchécoslovaquie, l'Allemagne, la Hongrie, l'Italie, la Bulgarie, la Grèce, la France, le Portugal, l'Espagne, le Maroc, le Sénégal, le Niger, l'Égypte, la Syrie, l'Arabie Saoudite, le Qatar, Oman, les Émirats Arabes Unis, Bahreïn, le Pakistan, l'Afghanistan, le Bangladesh, l'Australie et la Nouvelle-Zélande.

ensuite que quelques jours de combat terrestre avant que Saddam ne cède. Le 2 mars, le Raïs accepta le cessez-le-feu, conformément à la résolution 686 : le Koweït était de nouveau libre. La guerre avait été « propre » et les frappes « chirurgicales », entendit-on alors pour la première fois.

Le Président George Bush en sortait grandi, fortement soutenu par sa population. À l'époque, son administration était peu favorable au renversement du régime car tous craignaient déjà que se constitue un vaste ensemble chiite avec l'Iran. C'est pourquoi l'attaque s'était arrêtée avant Bagdad. En outre, beaucoup pensaient que la population allait se soulever contre Saddam après tant d'années de dictature.

Saddam cessa dès lors d'être l'allié de l'Occident dans la région. Il s'était montré indiscipliné et, comme le souligne Philip Golub, « en tentant d'établir son hégémonie sur le Golfe, il a mis en cause le principe d'équilibre des forces dans la région, articulé depuis longtemps par Washington [1] ». Golub rappelle du reste une directive du 20 août 1990, émanant du Conseil national de Sécurité américain : « Les intérêts

---

1. Philip S. Golub, « Le laboratoire de la révolution stratégique américaine », in *Les Cahiers de l'Orient*, n° 73, premier trimestre 2004, p. 55.

américains dans le golfe Persique sont vitaux pour la sécurité nationale américaine. Ces intérêts incluent l'accès libre au pétrole et la sécurité et la stabilité des États amis de la région. Les États-Unis défendront leurs intérêts vitaux dans la zone à travers l'utilisation de la force armée, si nécessaire et si c'est approprié, contre toute puissance qui aurait des intérêts antagonistes aux nôtres. Les États-Unis soutiendront aussi les efforts d'autodéfense individuelle et collective des pays amis dans la zone pour les aider à jouer un rôle actif dans leur propre défense[1]. »

Malgré la rupture que constitua la première guerre du Golfe entre Saddam et ses anciens partenaires, ce dernier parvint toutefois à obtenir, en mars 1991, l'autorisation des États-Unis d'utiliser ses forces aériennes, ce qui permit la répression de la révolte chiite au sud de l'État au moyen d'armes chimiques. Seuls les Kurdes, au nord, bénéficièrent d'une protection de la communauté internationale.

Après la guerre contre l'Iran, l'Irak était financièrement très affaibli. Ainsi, alors que Saddam Hussein avait envahi le Koweït, surtout en vue de mettre la main sur des richesses

---

1. Document déclassifié des National Security Archives, Washington D.C.

qui lui permettraient de refaire surface économiquement, la guerre du Golfe appauvrit encore le pays, sanctionné, en outre, par la reconduction de la résolution 661 votée par le Conseil de sécurité de l'ONU avant le conflit. L'État devrait payer pour la réparation des dommages causés par cette guerre et continuerait de subir l'embargo, lequel ne serait assoupli que moyennant la destruction des armes chimiques, bactériologiques et nucléaires. Les effets de cet embargo furent désastreux pour la population irakienne, d'autant que le régime baasiste s'en servait pour contrôler davantage sa population et renforcer son système politique. Mais cela n'infléchit pas véritablement la position de la communauté internationale. En 1995 fut adoptée la résolution 986, dite « pétrole contre nourriture », qui organisait la possibilité de répondre à certains besoins premiers de la population en échange de la vente de l'or noir irakien. Mais cette décision ne permit qu'une amélioration insuffisante face à la catastrophe humanitaire instrumentalisée par le régime. Le 12 mai 1996, Madeleine Albright, alors ambassadrice des États-Unis à l'ONU, était interviewée sur CBS au sujet de cette politique aux effets pervers. À la question de la journaliste : « On a entendu dire qu'un demi-million d'enfants irakiens sont morts, ce qui est plus qu'à Hiroshima. Est-ce que cela valait la peine ? », Mme Albright répondit par l'affirmative : « Je pense que c'est un choix difficile mais nous pensons que ce prix en vaut la peine. »

Saddam, qui parvenait, notamment grâce à l'embargo, à entretenir ses fidèles et à assurer son maintien à la tête du pays, refusait de coopérer avec les inspecteurs de l'ONU, les accusant régulièrement d'être des espions américains. Se jouant de la communauté internationale, le dictateur alla jusqu'à expulser ces hommes en 1998. En réaction, des raids aériens américano-britanniques frappèrent le territoire irakien, sans mandat des Nations unies.

Après avoir armé Saddam Hussein et fermé les yeux sur la situation intérieure, les puissances occidentales avaient donc opté pour des mesures contre-productives, qui avaient surtout affecté la population irakienne. En Afghanistan, les États occidentaux emmenés pas les États-Unis avaient mis en place les Talibans – contre lesquels ils se battent encore aujourd'hui. Ces prises de position n'ont été guidées que par des intérêts nationaux, conformément à la Realpolitik la plus stricte. Au final, les Irakiens subissaient un embargo dont on considérait qu'il « valait la peine », et le dictateur ruiné ne pouvait que se souvenir de ses rêves d'hégémonie, faisant seulement montre çà et là de quelques sursauts fiévreux – comme lors de la tentative d'assassinat de George Bush père en

1993 au Koweït – mais qui, somme toute, res-
taient sans grand effet.

Pourquoi, alors, vouloir subitement renverser
ce régime dont on s'accommodait fort bien,
mieux en tout cas que d'une éventuelle grande
puissance chiite regroupant l'Iran et la majorité
de l'Irak ? Le 11 septembre fournit-il véritablement l'explication de ce retournement
stratégique ?

5

Le 11 septembre : double coup d'État à la Maison-Blanche

L E 11 septembre 2001 a visiblement engendré une politique américaine au Moyen-Orient à l'opposé de l'isolationnisme auquel s'était attaché G.W. Bush depuis le début de son mandat. Il apparut tout de suite que, face à un événement aussi violent et exceptionnel, nul ne pourrait supporter l'immobilisme. Toutefois, aussi bien les méthodes employées que les justifications avancées par l'équipe gouvernante soulevèrent bientôt des interrogations, d'abord sur la légitimité même des réactions, puis sur les raisons profondes de cette nouvelle politique. Mais était-elle si nouvelle ? En d'autres termes, le 11 septembre, véritable séisme dans l'équipe gouvernante de la Maison-Blanche, constitue-t-il réellement une rupture dans la politique étrangère des États-Unis ? Les néoconservateurs – ces « hommes de l'ombre » –, mais aussi ceux dont les idées avaient du mal à passer le cap des promesses électorales – les chrétiens évangéliques, instrumentalisés depuis Reagan –, ont su habilement mettre en avant leurs idées anciennes en les présentant comme une réponse au 11 septembre.

« Born Again » et « néoconservateurs » au cœur de la Maison-Blanche

« Nous avons pris l'engagement de vaincre le terrorisme à travers le monde. Nous avons pris l'engagement de remodeler le Moyen-Orient pour que la région cesse d'être le foyer du terrorisme, de l'extrémisme, de l'anti-américanisme et des armes de destruction massive. Les deux premières batailles de cette nouvelle ère sont aujourd'hui terminées », écrivent au premier trimestre 2003 William Kristol et Lawrence F. Kaplan, deux éminences grises de Washington[1]. Autopersuasion ? Manipulation de l'opinion publique ? Ou réelle conviction ? Et surtout quels effets de telles conceptions ont-elles sur la politique étrangère des États-Unis, en particulier dans cette région ? La question importe à plus d'un titre, car les auteurs cités appartiennent à un courant influent appelé

---

1. In *Notre route commence à Bagdad*, Saint-Simon, 2003, p. 166.

« néoconservateur », lui-même intégré dans la « droite » américaine incarnée depuis Reagan – soit depuis 1980 – par le Parti républicain. Depuis l'arrivée à la Maison-Blanche de G.W. Bush, ils travaillent aux côtés des « Born Again », ces chrétiens « nés de nouveau » représentés par le Président lui-même ou encore John Ashcroft, ancien ministre de la Justice. Ces deux courants jusque-là maintenus à l'écart ou au second plan se sont réellement imposés comme acteurs des relations internationales à la faveur de la présidence de « W ». S'ils sont devenus plus visibles aujourd'hui, néoconservateurs et fondamentalistes chrétiens demeurent pourtant des groupes de pensée plus que des organisations politiques à part entière. C'est pourquoi ils sont souvent présentés davantage comme des satellites gravitant autour du pouvoir pour l'influencer – avec plus ou moins de succès depuis quelques décennies – que comme des décideurs de premier plan, bien qu'ils soient depuis 2001 particulièrement nombreux à détenir des postes clés.

L'histoire des « Born Again » et des néoconservateurs permet de comprendre comment ils sont parvenus à se faire entendre toujours plus, Israël représentant le point d'accord et de mise en pratique le plus évident de leurs idées. Plus qu'une description, il s'agit ici de mettre en perspective les croyances abondamment mobilisées et l'effet de ces perceptions sur les décideurs américains mais aussi sur l'« opinion publique ».

Marqués par leur attachement à la famille et à l'économie libérale, les « conservateurs » se retrouvent le plus souvent dans le Parti républicain, contrairement aux « libéraux », plutôt de gauche, qui sont eux pour l'égalité, la redistribution et l'ouverture au monde.

Ils apparaissent sur le devant de la scène avec McCarthy et sa « chasse aux sorcières » relayée par des intellectuels qui, à partir des années 1950, diffuseront le message avec succès dans la population. Mais il faut attendre la victoire de Ronald Reagan à l'élection présidentielle de 1980 pour que leurs conceptions morales empreintes de christianisme accèdent au pouvoir. Patriotes et violemment anticommunistes, les conservateurs emmenés par Reagan mettent en œuvre une politique de consolidation de la défense nationale et de lutte virulente contre l'« Empire du Mal » (l'URSS). Pour autant, les conservateurs ne forment pas un bloc monolithique.

La droite chrétienne (« religious right » ou « Christian right »), elle-même traversée de multiples tendances, est composée de croyants qui partagent la conviction que la Bible est source de toute chose et qui considèrent avoir connu un réveil salvateur les ramenant sur le chemin de la foi. Cette droite protestante commença par contester la théorie darwinienne de l'évolution, à leurs yeux « impie », considérant que l'homme a réellement été créé par Dieu. D'abord repliée dans des communautés fermées, cette mouvance prit part aux combats politiques dans le cadre de la lutte contre le communisme athée, dans les années 1950, puis en réaction aux avancées libérales de la décennie suivante.

Aujourd'hui, loin d'être une « secte » parmi tant d'autres dans le pays qui se veut le chantre de la liberté religieuse la plus absolue, cette mouvance concerne près d'un tiers des citoyens américains. Il n'est donc pas étonnant de voir que tous les présidents des États-Unis depuis Jimmy Carter en relèvent – ou du moins se disent profondément religieux. Les ambitions affichées nécessitent beaucoup de « main-d'œuvre », puisqu'il s'agit de faire de l'Amérique le phare de l'humanité afin de la guider vers le royaume de Dieu. Mais cette droite chrétienne se trouve le plus souvent instrumentalisée au moment des élections par les candidats républicains, qui s'en débarrassent rapidement une fois arrivés au pouvoir. Ainsi Reagan s'est-il davantage montré à côté des membres les plus connus de cette communauté pendant les élections qu'il n'en a nommé à des postes en vue, et au cours de ses deux mandats, il n'a pas fait passer de mesures spécifiques en leur faveur. Même chose pour son successeur George Bush. Les « Born Again » ont donc longtemps eu un rôle qui n'était pas à la hauteur de leurs espérances, ne parvenant pas à imprimer clairement et directement la politique menée par les présidents successifs.

Le véritable tournant a été l'arrivée au pouvoir de George W. Bush, qui seul a mis en œuvre des programmes issus de la droite religieuse et s'est entouré de quelques-uns de ses membres comme John Ashcroft (ministre de la Justice de 2000 à 2005). La droite chrétienne acquiert tout à coup une visibilité certaine. Cependant, si « W » n'hésite pas à rappeler que « Jésus l'a sauvé » de sa dépendance à l'alcool et met ainsi en avant son expérience de « Born Again », il se démarque parfois très clairement de la mouvance. Par exemple, suite aux attentats du 11 septembre, il a condamné l'islamophobie née de l'amalgame entre musulmans et terroristes. Parmi ces chrétiens, en effet, se trouvent, outre John Ashcroft, l'homme convaincu que « nous avons Jésus pour roi », Ralph Reed, actuel conseiller à la Maison-Blanche et directeur de la campagne de 2004, qui fut le premier président de la Christian Coalition of America, Franklin Graham, qui a béni les conventions républicaines de 1996 et de 2000 et prononcé l'invocation officielle lors de l'investiture de Bush en janvier 2001, et qui a déclaré que l'islam était « la religion du mal, diabolique et mauvaise », ou encore Karl Rove, le plus proche conseiller du Président, ainsi que Gale Norton, secrétaire d'État à l'Intérieur, et Tommy Thompson, ex-secrétaire d'État à la Santé. Incontestablement, les « Born Again » ont aujourd'hui un poids réel dans l'administration Bush. Mais dans quelle mesure leurs principes influent-ils sur la politique étrangère américaine actuelle ?

Arrivés bien plus récemment en politique, les « néoconservateurs » ou « néocons » (expression apparue sous la plume de Michael Harrington dans les années 1960), forment eux aussi une école politique hétérogène. La répartition opérée par Justin Vaïsse[1] en trois âges distincts présente l'avantage de clarifier quelque peu l'exposé de ce mouvement.

Dans les années 1960, en réaction à la politique libérale menée par le Président Lyndon B. Johnson, quelques intellectuels se regroupèrent autour des revues *The Public Interest* (fondée par Irving Kristol et Daniel Bell) et

---

1. « La croisade des néoconservateurs », in *L'Histoire*, n° 284, février 2004, p. 56.

Commentary (fondée par Norman Podhoretz). Originellement de gauche, en partie trotskistes, ils étaient opposés à la multiplicité des programmes sociaux et à l'« affirmative action » (discrimination positive), contraires selon eux à l'égalité et la liberté. Leur impact sur la scène politique américaine demeurait alors limité.

Dans un deuxième temps, des Démocrates, universitaires ou activistes politiques, et non plus seulement des intellectuels, apparurent dans les années 1970. Ils s'attachèrent particulièrement à dénoncer la politique trop « laxiste » de Richard Nixon face à l'URSS, puis celle de Jimmy Carter. Comme la droite religieuse, auparavant cantonnés au rôle d'observateurs critiques, ils commencèrent à exister réellement sur la scène politique en soutenant le candidat Reagan. C'est alors que Richard Perle, nommé au Pentagone, mit en avant le concept « efficace » de « combattants de la liberté » pour désigner les moudjahidin afghans, que les États-Unis soutenaient contre l'URSS, elle-même qualifiée d'« Empire du Mal ». Ces termes illustrent l'idéologie des néoconservateurs, simple à l'extrême, manichéenne et percutante pour qui ne s'intéresse pas aux subtilités des relations internationales. Ils montrent en outre que les réflexions menées par les « néocons » peuvent avoir des débouchés dans l'action américaine au Moyen-Orient notamment, car, en attribuant aux actions des concepts qui les légitiment, ils fournissent une explication et permettent de faire accepter les politiques menées (les moudjahidin, aujourd'hui devenus ennemis publics numéro un, étaient hier soutenus au nom de leur lutte morale pour la « liberté »).

Enfin, écartés du pouvoir par George Bush dont la politique étrangère avait été inspirée par la prudence des conceptions de Henry Kissinger, les néoconservateurs revinrent en force à la fin des années 1990. Ils disposaient alors de puissants relais, de l'appui de certains médias (dont ils ont très vite compris l'importance pour rallier à leur cause la population) comme le *Weekly Standard* (revue éditée par William Kristol, fils d'Irving, et Robert Kagan, et dans laquelle écrivent Huntington et Fukuyama), le *Washington Times*, ou encore Fox News, mais aussi de « think tanks », centres de recherche et de réflexion visant à contribuer à la politique des États-Unis en diffusant leurs idées aux plus hautes sphères de l'État, au point d'apparaître comme des « gouvernements de l'ombre », tels que l'American Enterprise Institute (auquel appartiennent Richard Perle ainsi que la femme et la fille du vice-président des États-Unis, Dick Cheney), l'Hudson Institute ou l'Heritage Foundation. Symbole de cette volonté des néoconservateurs d'être davantage des conseillers, des « éminences grises », que des décideurs, Richard Perle préférera au poste de numéro trois du Pentagone celui, moins exposé, de président d'un organe consultatif (le Defense Policy Board). Le rôle de ces « conseillers » n'en est pas moins essentiel pour autant.

Cette montée en puissance du courant néoconservateur au sein du Parti républicain et, aujourd'hui, à Washington, nous intéresse tout particulièrement dans la mesure où ses conceptions mettent les relations internationales au cœur du projet. Comme le souligne Alexis Debat[1], trois principes fondamentaux sont à l'origine de leur stratégie qui vise, aujourd'hui plus que jamais, le Moyen-Orient : l'exceptionnalisme, la sécurité et l'unilatéralisme.

Jouant sur une sémantique qui rappelle étrangement celle du Coran, l'idéalisme américain appelé « exceptionnalisme » se fonde sur la mémoire de l'arrivée des premiers colons – « peuple élu » arrivé sur les Terres promises de Dieu pour y accomplir Sa volonté par l'application de la morale et de la démocratie. Ce messianisme est très ancré dans l'imaginaire collectif et se transpose à merveille à la politique étrangère des États-Unis. Peu importe

1. « Vol au-dessus d'un nid de faucons », in *Politique internationale*, printemps 2003, n° 99.

alors la communauté internationale, les alliés et les autres, puisque seuls les Américains disposent de cette légitimité divine. Cette idée est confortée par la référence permanente à la crise de Munich et en particulier à la modération de Chamberlain face à Hitler. Les « néocons » ne sont pas les seuls à faire appel à ces symboles mais ils sont de loin ceux qui s'en servent le plus fréquemment. Cette référence sert alors de grille de lecture officielle de la situation actuelle au Moyen-Orient, nombre de dirigeants arabes se trouvant comparés à Hitler. Les néoconservateurs rejoignent en cela les « Born Again ». Ainsi, les discours de Bush sont-ils marqués par cette idée, comme en témoigne la récurrence des expressions « grande nation » et « nation exceptionnelle ». Dans ce contexte, la puissance militaire et économique est un instrument nécessaire à l'accomplissement de la volonté de Dieu dans le monde, par opposition au destin de l'Europe décadente, aujourd'hui comme au XVIIIe siècle (excepté l'allié britannique).

La quête de la sécurité absolue, d'autre part, interdit toute diplomatie, puisque le compromis est exclu d'emblée, ce qui amène par conséquent au recours systématique à la force, « au cas où ». Toute menace potentielle est digne d'intérêt et, chacune étant regardée à la loupe, l'effet grossissant est tel que, en un cercle vicieux, le « sentiment » d'insécurité s'accroît sans que le danger soit nécessairement réel. C'est un des éléments qui permet d'expliquer pourquoi une majorité d'Américains ont long-temps cru qu'il existait un lien entre Saddam Hussein et Al Qaïda. En effet, le caractère radical de la doctrine amène partout la prudence, puis souvent la croyance, simplement « au cas où » (en l'espèce, « au cas où » il y aurait en effet un lien, mieux vaut prendre ses précautions et « faire comme s'il existait ». À ce stade, la « communication » de la Maison-Blanche intervient pour que le doute laisse peu à peu la place à la conviction que Saddam est bel et bien coupable de relations avec Al Qaïda). Ceci revient à poser une sorte de « principe de précaution » extrêmement peu circonscrit comme fondement de la politique étrangère américaine.

Il convient toutefois de distinguer ici entre le système de croyances partagé par le peuple et ses dirigeants et l'instrumentalisation par ces derniers de sentiments qu'ils savent ancrés dans la population. Si l'exemple des liens entre Saddam et la nébuleuse de Al-Zawahiri et Ben Laden semble illustrer la conception de la sécurité auprès des représentés, il ne renseigne aucunement sur la sincérité des gouvernants. Au contraire, nombreux sont ceux, à la CIA notamment, qui dénoncent une manipulation (par exemple Robert Baer, membre pendant vingt ans de la division des opérations clandestines de l'Agence). Il faut dire que la crainte est porteuse. Les catastrophes tragiques de Pearl Harbor et du 11 septembre (pour ne citer que les plus évidentes), loin de susciter une remise en cause du mythe de la sécurité absolue, le nourrissent. L'irrationnel apparaît à son plus haut niveau ; si mon alarme ne me protège pas du vol de ma voiture, j'en mets une deuxième au lieu de minimiser au possible les effets de l'inévitable (en prenant une assurance, par exemple). L'image est légère mais semble appropriée. Corollaire de cette exigence de sécurité absolue, tout l'arsenal est mis en œuvre pour la lutte. Comment lutter efficacement contre le vol de voiture en amont, sinon par des solutions extrêmes, par exemple en emprisonnant tous les individus capables de conduire ? George W. Bush déclarait ainsi : « Nous traiterons cette menace terroriste aujourd'hui avec notre Army, notre Air Force, notre Navy, nos Cost Guards et nos Marines, pour que nous n'ayons pas à la traiter plus tard avec nos armées de pompiers, de policiers et de médecins dans les rues de nos villes[1]. » La guerre n'est plus « la continuation de la politique par d'autres moyens », ainsi que l'exposait Clausewitz, mais la remplace dès les premières mesures envisagées. Et pour fonder cette idéologie

---

1. In *The Washington Post*, 20 mars 2003.

radicale au rang de principe, les « néocons » en appellent notamment à Léo Strauss, philosophe américain, à qui ils empruntent la théorie de la « vertu naturelle » (« natural right ») selon laquelle il existe une morale qui s'impose aux hommes.

L'unilatéralisme, enfin, constitue le troisième volet de l'idéologie néoconservatrice. « Il faut que la mission détermine la coalition et non que la coalition détermine la mission », déclarait Donald Rumsfeld en février 2002. Pour les « néocons », la mission est la même qu'en politique intérieure et consiste à promouvoir les valeurs fondamentales que sont la famille, la religion ou l'économie libérale. Dès lors, l'unilatéralisme de Washington n'est pas isolationniste. Au contraire. Leur critique des institutions internationales est marquée par cette volonté non pas de se replier sur soi, mais d'agir conformément à leurs seuls idéaux et méthodes. Ainsi, les néoconservateurs font preuve de détachement par rapport à l'ONU, accusée d'être impuissante et même menaçante car capable de fédérer les oppositions, envers les traités, jugés inutiles au motif que les dictateurs signent de mauvaise foi, ou encore vis-à-vis de l'OTAN, paralysée par l'exigence de consensus. Pour eux, seuls les regroupements de démocraties sont valables. Cette politique étrangère unilatérale s'incarne par exemple dans le PNAC (Project for New American Century, auquel contribuent Paul Wolfowitz, Dick Cheney, Richard Perle, John Bolton, I. Lewis Libby, William J. Bennett, Zalmay Khalilzad et R. James Woosley), qui fournit en masse les conseillers de G.W. Bush et se définit comme une « organisation à but non lucratif dédiée à quelques hypothèses fondamentales : que le leadership américain est à la fois bon pour l'Amérique et le monde ; qu'un tel leadership nécessite une puissance militaire, une diplomatie énergique et un respect des principes moraux et que trop peu de responsables politiques décident aujourd'hui de ce leadership global[1] ».

Les trois volets de la politique étrangère de l'administration Bush – action préventive, changement de régimes avec effet de contagion, prééminence américaine au mépris des alliés traditionnels – montrent à quel point les concepts des néoconservateurs s'intègrent dans la politique américaine. Aujourd'hui plus que jamais, leur rôle dans la détermination de la stratégie à mener est essentiel. Rebondissant sur les échecs de leurs prédécesseurs, ils ont su profiter d'un « effet d'aubaine » pour faire prévaloir leurs idées, forgées au moment de la lutte

---

1. Cf. site du PNAC, www.newamericancentury.org.

contre l'ennemi soviétique. Il en va de même aujourd'hui pour les « Born Again », qui, malgré quelques réserves, peuvent compter sur le soutien solide du Président.

Ces deux mouvances ont en commun de mettre en avant des idéaux moraux (la démocratie pour les premiers, la religion pour les seconds) afin non seulement de les voir mis en pratique mais surtout de rendre le monde conforme à ces références. Dans ce cadre, ils sont amenés à élaborer des stratégies similaires à celles des décideurs politiques, à la différence près que néoconservateurs comme partisans de la droite chrétienne ne peuvent travailler dans le compromis, leurs causes le leur interdisant. Comment, en effet, limiter la volonté de Dieu, surtout quand celle-ci confie à l'Amérique le rôle de « Nation-phare » ?

Le « coup d'État » du 11 septembre

Il y a trente ans, les « néocons » faisaient la critique (minoritaire à l'époque) de la politique de la détente. Au vu des erreurs des présidents successifs et des succès de la diplomatie de Ronald Reagan, dont ils s'attribuèrent le succès, les « néocons » se présentaient comme les seuls à même de penser la politique étrangère américaine. Ils étaient conscients des responsabilités qu'impliquait une victoire sur l'URSS. Le statut de puissance unique est en effet difficile à gérer ; la disparition de l'ennemi risque de rendre moins visible l'identité marquée des États-Unis. De même que tout individu se construit et se reconnaît par référence à l'« Autre », l'Amérique était perçue par les « néocons » comme constituée de caractères d'autant plus marquants qu'ils tranchaient avec « ceux d'en face ». Le risque était grand que se délite la cohésion permise par la confrontation à un Autre si facilement identifiable qu'il en était du même coup identifiant. Il ne fallut pas attendre longtemps, dès lors, pour voir réapparaître les mêmes termes du conflit appliqués à d'autres « camps », dans des circonstances totalement différentes.

Le 11 septembre 2001 fut ainsi l'occasion de remettre sur le devant de la scène les deux thèmes principaux de la Guerre froide que sont la peur des armes de destruction massive et le conflit idéologique. Ici encore, la question se pose de la réalité d'un système de croyance véritable, au sens où l'entendait l'universitaire américain Jervis, auteur de travaux sur l'importance de la perception. Autrement dit, est-il permis de considérer que les néoconservateurs, faisant appel à des thèmes de la Guerre froide, agissent simplement en fonction de leurs croyances préexistantes et, au lieu d'adapter leur grille de lecture au monde qui les entoure, font exactement l'inverse, c'est-à-dire analysent les éléments nouveaux par le prisme de leur grille de lecture demeurée inchangée ? Pensent-ils réellement que le terrorisme islamiste entre dans les mêmes cadres d'interprétation que le communisme, alors que l'un est une méthode diffuse souvent permise par une instrumentalisation de l'islam quand l'autre était une idéologie soutenue essentiellement par l'État soviétique ? Ou bien les néoconservateurs se contentent-ils de manipuler des idées manichéennes dans le but de rallier l'opinion publique à leur combat, sans pour autant croire eux-mêmes aux causes qu'ils énoncent et aux concepts auxquels ils font appel ?

Si, comme tout le monde, les néoconservateurs ont été choqués par le 11 septembre, ils ont surtout su saisir cette « opportunité » pour appliquer leurs idées préexistantes concernant le Moyen-Orient. William Kristol et Lawrence F. Kaplan ne s'en cachent pas : « Puis il y eut le 11 septembre. Ce jour n'a peut-être pas changé l'opinion de certains conseillers diplomatiques du Président. Il n'a peut-être pas changé la menace posée par Saddam Hussein. Mais il a changé le Président, et du même coup l'orientation de sa politique étrangère[1]. » Pour ne

_____

1. In *Notre route commence à Bagdad*, *op. cit.*, p. 86.

prendre qu'un exemple, en 1977, Paul Wolfowitz participait à la rédaction d'une étude prévoyant une attaque de l'Irak contre le Koweït et l'Arabie Saoudite et, dès le début des années 1980, en appelait ouvertement au renversement des régimes de Mouammar Kadhafi et de Saddam Hussein. Entrepreneurs efficaces, les conseillers de G.W. Bush ont su alors faire valoir auprès du Président des arguments qui avaient tout à coup une sonorité nouvelle. Ils gardent en mémoire la « prudence » de son père qui, en 1991, avait refusé d'aller « jusqu'au bout », c'est-à-dire jusqu'à la mise à l'écart de Saddam Hussein lors de la première guerre du Golfe. En outre, les tenants de la doctrine religieuse chère à « W » ont également su interpréter ces événements dans un sens particulièrement accommodant pour la cause défendue.

Des attentats du 11 septembre, seules les attaques contre le World Trade Center ont fait l'objet de l'attention des représentants de la communauté des « Born Again ». Jerry Falwell et Pat Robertson expliquèrent le drame à la lumière de la Bible, l'assimilant à une attaque venue du Ciel qui, en démolissant les tours orgueilleuses du temple matérialiste international, voulait rappeler à la mémoire des hommes la destruction de la tour de Babel, édifiée aux temps bibliques par des pécheurs désireux d'instaurer un gouvernement mondial sans

Dieu. Il s'agissait là d'une punition divine à l'encontre des Américains athées et donc immoraux. Là encore, le discours est porteur : il donne une explication facile à comprendre, évite aux croyants de se poser toutes sortes de questions, livre un responsable et renforce la foi des fidèles ressoudés par l'épreuve. La rhétorique du Bien contre le Mal n'est pas nouvelle, pas plus qu'elle n'est l'exclusivité des « Born Again ». Ben Laden lui-même utilise cette sémantique. Elle offre partout l'évidente possibilité de soumettre des populations par la crainte et de les mobiliser. En juin 2003, un des plus hauts responsables du Pentagone, le général Boykin, déclarait : « On ne battra Saddam et Ben Laden que si l'on combat au nom de Jésus. » Quant à l'amalgame entre Ben Laden et le dirigeant irakien, il est la suite logique de la diabolisation de Saddam, omniprésente depuis les années 1990 dans les médias en général. Le lien est donc immédiat dans l'esprit de bon nombre d'Américains.

Face à un Président « changé » et à une population pour partie convaincue que Dieu lui a envoyé un signe, le « permis de construire » tant attendu est enfin délivré aux entrepreneurs de causes. Ils peuvent alors se consacrer non plus à la persuasion mais à la mise en application des plans prévus de longue date.

6

La guerre en Irak

L A riposte aux attaques du 11 septembre 2001 fut immédiatement dirigée vers l'Afghanistan. Il ne fallut toutefois pas attendre longtemps avant que l'Irak soit visé, dans les bruits de couloir, dans les discours officiels et, enfin, dans les faits.

Il faut revenir sur le déroulement exact de cette guerre, depuis le moment où elle a été évoquée par le Président des États-Unis jusqu'à son bilan provisoire aujourd'hui. Loin d'être comparable au Vietnam, cette guerre ne correspond pas pour autant aux plans annoncés par la Maison-Blanche. Les nuances s'imposent toutefois, car si la guerre s'est révélée désastreuse à bien des égards, certains parviennent malgré tout à tirer leur épingle du jeu – à commencer par les entreprises privées américaines. Pour s'en rendre compte, il suffit de s'attarder davantage sur les aspects économiques de l'après-guerre. Mais plus encore que sur le plan politique ou économique, c'est au cœur des populations elles-mêmes, sur les sociétés arabes en général, que les effets de cette guerre se font le plus ressentir.

L'attaque de l'Afghanistan fut décidée 48 heures après les attentats du 11 septembre 2001. Un ultimatum fut adressé au régime des Talibans, arrivé au pouvoir en 1996 et abritant Oussama Ben Laden, responsable de ces attentats comme de ceux perpétrés en 1998 contre les ambassades des États-Unis à Nairobi et Dar es-Salaam. Rappelons que lorsque le Soudan avait décidé d'extrader cet hôte encombrant, en 1996, les États-Unis avaient refusé de l'accueillir, au motif qu'ils manquaient d'éléments à charge pour l'emprisonner. En 2001, Al Qaïda disposait semble-t-il d'une douzaine de camps d'entraînement au jihad et d'environ 10 000 hommes en Afghanistan.

Dès les premiers jours suivant les attaques terroristes des pilotes d'Al Qaïda, les États-Unis parvinrent sans difficultés majeures à constituer une large coalition. Quatre résolutions furent alors votées à l'unanimité à l'ONU dans ce sens.

La victoire militaire fut rapide et totale – ou presque, car la paix a bien du mal, aujourd'hui encore, à s'installer partout. La guérilla fait encore quelques irruptions, très localisées, auxquelles il est quasiment impossible matériellement pour les 12 000 soldats sur place aujourd'hui de mettre un terme. C'est que, même si l'ennemi public numéro un des États-Unis n'a pas été capturé, les effectifs sont très faibles en Afghanistan, les regards de la Maison-Blanche s'étant très vite tournés vers un autre pays de la zone.

Le 29 janvier 2002, dans son discours sur l'état de l'Union, le président George W. Bush plaçait l'Irak dans l'« Axe du Mal », aux côtés de l'Iran et de la Corée du Nord. Ces États se trouvaient ainsi réunis car ils « s'arment pour menacer la paix dans le monde ». À aucun moment il ne fut question de l'Arabie Saoudite, pourtant mère patrie de 15 des 19 terroristes du 11 septembre et financière bien connue des mouvements islamistes les plus radicaux à travers le monde. Les pirates de l'air furent mentionnés mais seulement pour justifier l'attaque de l'Afghanistan, la plupart d'entre eux y ayant été entraînés.

Le ton était particulièrement ferme et la communauté internationale était prévenue : « Certains gouvernements vont se montrer timides face au terrorisme. Ne vous y trompez pas : s'ils n'agissent pas, l'Amérique le fera. » Face à de telles menaces à l'encontre de la sécurité des États-Unis et du monde civilisé en général, le Président annonçait qu'il n'attendrait pas que la menace se concrétise. Il fallait agir avant que les forces ennemies ne se rassemblent.

Ainsi, alors que la Corée du Nord jouait la provocation en se moquant ouvertement de ces menaces et que l'Iran faisait savoir que son programme nucléaire avançait, c'est sur l'Irak qu'allait porter la première attaque « préventive ».

Le 12 septembre 2002, les menaces se firent plus directes. Le président Bush, lors d'un discours aux Nations unies, appela Saddam Hussein à détruire sur-le-champ la totalité de ses armes de destruction massive. Face à la fermeté américaine, le dictateur irakien ne résista pas longtemps et, le 16 septembre 2002, accepta finalement le retour inconditionnel des inspecteurs en désarmement des Nations unies. Mais l'administration Bush n'était pas satisfaite pour autant ; le 19, le Président Bush transmit au Congrès un projet de résolution l'autorisant à recourir à la force contre l'Irak, laquelle lui serait accordée le 11 octobre.

À l'ONU, la résolution 1441 fut adoptée à l'unanimité le 8 novembre 2002 par le Conseil de sécurité, donnant sept jours à Bagdad pour accepter « cette dernière possibilité de s'acquitter des obligations en matière de désarmement qui lui incombent en vertu des résolutions pertinentes du Conseil ». Le 7 décembre, l'Irak remit à l'ONU la déclaration demandée sur l'état de son armement mais, celle-ci étant jugée insuffisamment précise, Washington continua de brandir sa menace d'intervention. Colin Powell, secrétaire d'État aux Affaires étrangères, présenta à l'ONU, le 5 février 2003, une série de documents pour convaincre la communauté internationale du bien-fondé des accusations et de la nécessité d'une attaque contre l'Irak. Mais ces preuves laissèrent sceptiques la plupart des pays et de nombreuses manifestations eurent lieu le 15 février contre la guerre qui se profilait.

Ainsi, après avoir cherché sans succès à obtenir une ultime résolution, Washington lança un ultimatum à Saddam Hussein et ses deux fils, les exhortant à quitter l'Irak dans un délai de deux jours sous peine de représailles militaires. Ils refusèrent. Dans la nuit du 19 au 20 mars 2003, les États-Unis, avec quelques alliés dont, pour les plus importants, la Grande-Bretagne et l'Espagne, lançaient l'opération « Iraqi Freedom ».

Entre ces premiers bombardements sur Bagdad et la prise de la capitale, vingt jours de combats s'écoulèrent, émaillés de « pauses » et de quelques difficultés, notamment à Oum Qasr, Bassora ou Kerbala – mais rien d'assez important pour ralentir véritablement les troupes américaines.

Le 1er mai 2003, sur le porte-avions *Abraham Lincoln*, George W. Bush annonçait « la fin des principales opérations de combat » ; derrière lui, une banderole arborant la phrase « Mission accomplie ». Oudaï et Qoussaï, les deux fils de Saddam Hussein, furent tués par l'armée américaine près de Mossoul le 22 juillet 2003, et leur père fut capturé le 13 décembre, près de Tikrit.

Mais la « fin des hostilités » ne signifiait pas la paix, et à cette victoire militaire facile allait succéder le chaos.

La libération de l'Irak par les troupes américaines se transforma très vite en occupation. Si les troupes britanniques parvinrent à peu près à cohabiter avec les populations des zones dont ils avaient la charge, tel ne fut pas le cas des GI's. Chaque jour, la guérilla sévissait. « Résistance » ou « terrorisme », les attentats causèrent en tout cas d'importants dommages dans l'armée américaine, d'autant plus marquants que les jeunes envoyés ne s'y attendaient pas. En outre, les Irakiens eux-mêmes se trouvaient être les premières victimes de cette situation d'insécurité totale. Pas un jour sans attaques meurtrières, sans compter les prises d'otages, toujours plus fréquentes, opérées par des groupes qui, le plus souvent, cherchaient à gagner de l'argent plus qu'à faire valoir des revendications précises. Au total, depuis le début des attaques américaines et à ce jour, plus de 100 000 Irakiens sont morts.

Dans un tel contexte, la dissolution totale de l'armée irakienne et celle, partielle, de la police ont plongé le pays dans le chaos. Chômage massif, institutions publiques détruites, sécurité défaillante sont autant de problèmes venus s'ajouter aux effets désastreux de plus de dix ans d'embargo sur un peuple épuisé, fatigué, exsangue.

Les deux administrateurs américains en Irak, Jay Garner puis Paul Bremer, se sont empressés de laisser la place aux Irakiens à la tête de l'État. Du moins, c'est ce qui était annoncé. En réalité, le 13 juillet 2003, Paul Bremer a, personnellement et sans aucune consultation populaire, nommé les membres du conseil de gouvernement intérimaire sur la base de considérations ethniques [1]. Il s'est en outre occupé du maintien des forces américaines après le transfert de souveraineté fixé au 30 juin 2004, le présentant non plus comme une « occupation » mais comme une « invitation » émanant du gouvernement irakien à venir.

---

1. Ce conseil de 25 membres a été ainsi composé de 14 chiites, 4 sunnites, 5 Kurdes, un chrétien et un turcoman.

Du partenariat entre Paul Bremer et le conseil de gouvernement transitoire irakien, le pouvoir est alors passé aux mains d'un gouvernement provisoire présidé par Iyad Allaoui, Irakien proche de Washington et opposant à Saddam Hussein. Officiellement. Dans les faits, l'insécurité permanente rendait difficile toute politique de reconstruction sérieuse. De plus, les dons promis par la communauté internationale tardaient à venir et les dettes contractées par l'Irak au fil des guerres paralysaient toute initiative. Enfin, Paul Bremer, avant de partir, avait dressé une liste d'une soixantaine d'« ordres » destinés à guider sinon télécommander la politique intérieure de l'Irak.

C'est dire combien le transfert de souveraineté fut limité, sans compter que l'essentiel des quelques bénéfices économiques de l'après-guerre échappa à la population locale.

S'il est clair que le coût de la guerre et plus généralement de l'occupation est faramineux pour les États-Unis, il n'en demeure pas moins que leurs entreprises privées sont les premières à tirer profit de la reconstruction, avant les Irakiens eux-mêmes.

Tout d'abord, l'État américain n'a à ce jour attribué qu'un seul des sept milliards de dollars de dons initialement prévus pour 2004. Or, ces sommes font cruellement défaut à l'Irak défait, d'autant que, plus que les États-Unis, c'est l'ensemble des pays s'étant engagés à faire des dons qui aujourd'hui ne tiennent pas leurs engagements. Mais en l'espèce, il est particulièrement reproché à Washington de ne pas tenir les promesses d'aide à la population irakienne annoncées partout pour justifier l'intervention. En attendant, la reconstruction est paralysée ; ce qui se traduit au quotidien par le manque d'eau potable, un système sanitaire défaillant, l'absence d'infrastructures, etc. La chute du régime de Saddam Hussein, très favorablement accueillie par les Irakiens, leur laisse à présent un goût amer. La « libération » n'a toujours rien apporté des bienfaits qu'elle laissait entrevoir, et les Américains apparaissent coupables de ne pas avoir un seul instant envisagé cet après-guerre – pourtant prévisible.

Les marchés de la reconstruction ont été attribués sans aucune transparence à des entreprises pour la plupart américaines. Plusieurs ministres du gouvernement provisoire se sont plaints de cette situation, à l'instar de Mehdi al-Hafez, ministre du Plan, qui s'est déclaré stupéfait de constater les coûts des projets et contrats cédés en majorité à des sociétés américaines. En outre, de nombreux cas de corruption avérés dans des cotations de projets attribués par les Américains ont également été dénoncés. Rappelons notamment que c'est à Halliburton, premier équipementier mondial d'installations pétrolières (et dont Dick Cheney fut le président jusqu'à son accession à la vice-présidence), que les contrats pétroliers ont immédiatement été attribués. De plus, en pratique, l'entreprise a pris un retard considérable par rapport à ses engagements.

Il apparaît enfin que dans certains contrats, les frais visant à assurer la sécurité du travail et du personnel représentent jusqu'à 60 % du coût total du projet. Les firmes étrangères sur place, préférant faire venir des travailleurs de l'étranger, sont confrontées aux problèmes de prises d'otages de leur personnel. Ainsi, non seulement la population ne bénéficie-t-elle quasiment pas des emplois créés, mais en plus le coût de la reconstruction creuse toujours plus le budget du pays.

À tous points de vue, donc, les Irakiens se trouvent écartés des bénéfices de la reconstruction, et la libération est aujourd'hui synonyme de paupérisation et de frustrations.

Mais la guerre a aussi eu d'autres effets, plus indirects sur les mentalités irakiennes, et les réactions de la « rue arabe » dans cette région offrent une perspective « psychologique » tout aussi éclairante sur le bilan provisoire du conflit.

Depuis le début de la crise irakienne, le ton est donné, la « rue arabe » est descendue.

Toutes ces manifestations ont en commun de réunir un nombre particulièrement important de personnes, ce qui n'est pas habituel dans la plupart de ces pays. Ainsi, en Égypte, on n'avait pas vu cela depuis plus d'un quart de siècle. La composition de ces rassemblements montre souvent une grande hétérogénéité, mêlant étudiants, syndicats, partis d'opposition, mouvements de défense des droits de l'Homme, ou encore islamistes. Tous ne brandissent pas les mêmes portraits mais tous se côtoient et scandent ensemble leur opposition à la guerre en Irak. Et ce, malgré les diverses perceptions de celle-ci. Cette intervention a pu être interprétée comme une nouvelle colonisation, en raison de l'attrait du pétrole et de la situation géostratégique avantageuse de la région. Les États-Unis voudraient en fait assurer leur présence sur cette zone afin notamment de se détacher de l'allié saoudien dont les liens avec Al Qaïda sont indéniables. Pour d'autres, tout ceci n'est qu'une opération fomentée par les sionistes de l'entourage de George W. Bush. Voulant assurer la sécurité d'Israël, ils chercheraient à installer en Irak un régime qui deviendrait l'allié de l'État hébreu. Enfin, une dernière perception fait valoir la rhétorique chrétienne du Président américain et amène dès lors à analyser l'attaque comme celle du « Bien contre le Mal » à la façon des Croisés.

Dans tous les cas, la condamnation des sociétés arabes est unanime, et les manifestations ont été l'occasion de brandir des symboles prompts à réveiller l'union arabe. La référence au passé glorieux perdure comme une sorte de « valeur sûre », comme en témoigne la présence dans les défilés de nombreux portraits de Nasser. Père de la nation arabe jadis capable – un temps du moins – de faire front à l'Occident, il représente également un moyen de contester ses successeurs, les dirigeants arabes actuels, accusés de n'avoir pas su faire honneur à l'héritage. Aucun n'a su freiner le dessein américain et tous se sont contentés de discours, parfois même contraires à leurs actes. Par-delà les frontières, donc, les manifestants font savoir leur désaccord, leur colère. Et les sociétés semblent ne faire plus qu'une. Les islamistes se mêlent aux foules et, à côté des images du Colonel égyptien, des corans sont brandis par des femmes voilées. Tous expriment également une solidarité envers des frères irakiens ; tous expriment leur soutien au peuple palestinien et leur indignation devant la politique menée par Ariel Sharon avec l'appui, une fois encore, des États-Unis. À tel point que la condamnation de Saddam Hussein se fait discrète, très discrète…

L'union chiite est l'autre grande force invoquée. Parmi les multiples identités des individus, il s'agit ici de choisir celle qui relève de la religion. Le ciment est constitué par les longues décennies de maltraitance des chiites irakiens, pourtant majoritaires. Sur ces fondements, l'union chiite serait celle de la communauté irakienne libérée avec sa puissante voisine perse. Dans ce contexte, l'Iran a tout à gagner. Un Irak chiite solidaire renforcerait la théocratie par le nombre et la rendrait moins marginale sur la scène internationale. Un gouvernement allié ouvrirait la porte à une action iranienne dans un pays stratégiquement important. Enfin, une présence avérée de l'Iran dans le jeu irakien constituerait une carte essentielle, notamment dans la partie engagée avec l'Occident.

De nombreux événements depuis le début de la guerre montrent ainsi que l'Iran cherche constamment à s'immiscer sur le théâtre irakien. Le plus visible fut sans doute l'intervention d'une médiation officielle iranienne pour régler le conflit opposant le clerc radical Moqtada Sadr aux forces américaines, en avril 2004. Plus indirectement, le fait que chaque élection irakienne conforte des chiites soutenus par Téhéran, au détriment des candidats plus favorables à Washington, accentue l'influence iranienne.

Cependant, l'histoire des relations entre les deux pays est marquée par de nombreuses tensions et quelques conflits d'envergure, que le chiisme partagé ne peut suffire à effacer. Et aujourd'hui encore, des divergences marquent les deux communautés. La principale différence tient au fait que la théocratie iranienne est une exception dans le monde musulman. Elle se fonde sur le « velayat-é-faqih » (gouvernement d'un juriste théologien), théorie selon laquelle le pouvoir doit être exercé par le clergé car il émane de Dieu. Or cette conception est contestée par une grande partie des chiites irakiens – et ils peuvent se prévaloir du fait que leur pays est le berceau du chiisme. Ces groupes cherchent alors à faire valoir une conception alternative du chiisme à celle de Téhéran, vers un sens moins politique. L'Iran peut donc craindre, à plus long terme, de perdre son rôle privilégié de place forte du chiisme.

Au final, il est certain que Téhéran a parfaitement su tirer profit du renversement de son ennemi Saddam Hussein. À une époque où la communauté internationale surveille et menace le régime iranien, son poids en Irak est un atout majeur. Pourtant, l'unité chiite est loin d'être réalisée et paraît tout aussi instrumentalisée et fantasmatique que la « nation arabe ».

Le peuple irakien, soutenu par ce qui semble constituer l'« opinion publique arabe », ne partage pas totalement pour autant la vision des manifestants.

En pratique, si l'intervention américaine ne

fut qu'une guerre de plus, elle visait toutefois à renverser la dictature. Quels que soient les objectifs réels des Américains et de leurs alliés, le fait est que Saddam Hussein opprimait la population, la torturait, la massacrait, et que, à défaut d'une intervention extérieure, l'avenir ne semblait pas meilleur. Ainsi, dans le monde arabe, chacun a été témoin de la même guerre, mais d'un point de vue différent. Le peuple irakien y a vu le moyen d'en finir avec un dictateur tandis que des millions d'Arabes manifestaient contre cette intervention, y percevant la marque prétentieuse de l'impérialisme américain. Le malentendu s'est fait clivage lorsque au fil des cortèges sont apparus ici et là des portraits de Saddam Hussein et jamais des condamnations aussi clairement affichées de celui-ci. Ce n'était tout simplement pas le propos.

Saddam lui-même a su jouer de ce clivage, et des organisations proches du pouvoir ont ainsi défilé en Europe et au Maghreb sous les bannières pacifistes. Comme le dit Michel Verrier : « Les Irakiens ont fait passer la chute de Saddam avant la solidarité et l'unité supposée du monde arabe contre Washington. Après trois semaines de guerre qui ont déchiré leur pays, avec leur cortège d'horreurs, de morts et de sang, les Irakiens vont tenter maintenant d'améliorer leur propre sort et de concilier leurs identités diverses, chiites, sunnites, arabes, kurdes, dans le cadre d'un système démocratique. S'ils y parviennent, leur succès renforcera encore le quiproquo sur le sens de la guerre qui vient d'avoir lieu[1]. »

Cependant, l'évolution de l'occupation américaine réduit le fossé originel entre les Irakiens et leurs voisins. De plus en plus, l'anti-américanisme gagne ce peuple qui attend encore et toujours une amélioration profonde de sa situation quotidienne.

Outre la différence de perception et de position entre le peuple irakien et les manifestants des pays arabes, se pose donc la question de l'homogénéité même de « l'opinion publique arabe ». Certains observateurs insistent surtout sur le silence d'une grande partie des sociétés arabes. Celles-ci sont alors décrites comme lassées, désespérées et résignées face à un ennemi trop puissant et surtout après tant d'humiliations passées. Pour d'autres, cette attitude révèle, plus pragmatiquement, une crainte des répressions étatiques. Quoi qu'il en soit, soulignons que le nombre conséquent de manifestants ne doit pas occulter ce que pense le reste de la population. On aurait trop vite fait de conclure au réveil d'une conscience panarabe

---

1. « Guerre d'agression ou guerre de libération », in *Irak : le Moyen-Orient sous le choc*, J.-C. Ploquin (dir.), L'Harmattan, 2003.

profonde, dépassant les frontières étatiques comme les couches sociales. Réveil de la rue arabe ou majorité silencieuse ? La question demeure, et l'on ne saurait se prononcer qu'avec prudence quant à l'existence d'une opinion arabe claire et audible s'exprimant d'une seule voix dans la rue, dans la mesure où le plus grand nombre, par choix ou par contrainte, ne s'exprime pas.

En observant de plus près les réactions des sociétés arabes, on s'aperçoit que c'est surtout le Maghreb qui est mobilisé. Or il existe des différences profondes entre cette région et le Machrek.

Historiquement d'abord, la colonisation a davantage marqué les pays d'Afrique du Nord. Le modèle occidental s'y est mieux imposé, et les sociétés locales ainsi imprégnées sont mieux à même, aujourd'hui, de comprendre les stratégies et les intentions des gouvernements occidentaux. Partageant en partie une façon de penser européenne, les peuples arabes du Maghreb opèrent une lecture plus pertinente des objectifs de la coalition. De plus, la force des luttes d'indépendance et la difficile libération ont créé un sentiment anticolonial plus aigu, qui rend ces populations particulièrement sensibles à un possible retour de « l'occupation » étrangère dans la région.

Politiquement ensuite, les expériences démocratiques du Maghreb ont permis, plus qu'ailleurs dans le monde arabe, la formation d'une conscience civique et citoyenne, rendant la mobilisation plus accessible. À l'inverse, le fort climat de répression dans de nombreux États du Machrek, alliée à une surmilitarisation de la région (à cause, d'une part, de la menace israélienne permanente et, d'autre part, de la menace islamiste interne sur fond de lutte de pouvoir éthnico-religieuse), contribue à étouffer une population qui, autrement, ferait sans doute plus entendre son mécontentement.

En Irak aujourd'hui, l'appartenance au monde arabe ne transcende toujours pas les divisions religieuses, même si presque tout le pays est musulman. Au contraire. Représentant un peu plus de 55 % de la population et regroupés dans le sud du pays, les chiites irakiens voient dans la guerre américaine et le renversement du régime de Saddam Hussein l'occasion d'accéder enfin au pouvoir et de représenter l'ensemble des musulmans irakiens, ambition qui se traduit concrètement par une volonté de décentralisation leur permettant de contrôler les villes saintes en toute indépendance vis-à-vis du pouvoir (irakien comme iranien). Pour autant, la communauté des chiites irakiens demeure divisée. L'« arabité » se mêle alors à l'interprétation de l'islam pour accentuer les fragmentations sociales. Aux oulémas arabes s'opposent les Persans, proches du régime iranien. L'assassinat d'Abdul Majid al-Khoï, le 10 avril, à Nadjaf, illustre ce clivage. Il soutenait l'intervention américaine en Irak et en avait fait état, de surcroît, lors d'une tournée en Iran, ce qui lui valut d'être accusé de soumission à la fois envers les États-Unis et l'Iran.

La minorité sunnite n'est pas moins divisée. Les Arabes sunnites, dont sont issues toutes les élites dirigeantes à Bagdad, ne représentent que 15 à 17 % de la population, tandis les Kurdes (25 à 27 %), presque tous sunnites, luttent depuis près d'un siècle pour obtenir l'autonomie, voire l'indépendance. L'après-Saddam doit, selon eux, déboucher sur un État fédéral leur laissant le contrôle de Kirkouk – et de son pétrole –, loin de toute mainmise turque. La fédération se traduirait par une séparation entre zone kurde et zone arabe. Restent 3 à 4 % de minorités religieuses, essentiellement des chrétiens.

Autrement dit, outre les divisions au sein de chaque mouvement, les chiites irakiens se distinguent des sunnites mais aussi de leurs frères iraniens, tandis que les sunnites sont marqués par la dichotomie Arabes/Kurdes ; tout ceci produisant un processus global de fragmentation dont la société irakienne semble incapable de se sortir. Dans ce nouveau paysage, par certains aspects proche de la mosaïque, les Irakiens tendent à se tourner vers l'islam plutôt que vers l'Union arabe. Pour reprendre les observations de Pierre-Jean Luizard, « les Irakiens ont l'impression d'avoir tout essayé : le nationalisme arabe, le communisme, et finalement l'islam leur apparaît comme la seule alternative qui n'ait jamais été tentée, vierge de toute expérience négative. Par ailleurs, l'effondrement de tout espoir politique et de l'État, le fait que le gouvernement sous Saddam apparaisse comme un jouet entre les mains d'un simple clan, a généralisé le retour vers les solidarités claniques et confessionnelles et a fait apparaître l'islam comme un refuge suprême [1] ».

Tout se joue finalement dans l'après-guerre.

Sur le plan humain d'abord, alors que la dictature de Saddam a été renversée, de nombreux Irakiens ne voient pas leur quotidien profondément transformé. Leur sécurité n'est pas assurée et le chômage sévit.

Sur le plan économique ensuite, alors que l'intervention a considérablement creusé le budget américain et coûte encore quatre milliards de dollars par mois aux contribuables, les opi-

---

1. « Les chiites d'Irak veulent leur réinsertion politique », in *Irak : le Moyen-Orient sous le choc, op. cit.*

nions se focalisent sur les irrégularités patentes dans la reconstruction et dans l'attribution des marchés.

On le constate aujourd'hui, c'est sans doute dans les réactions des populations que se font essentiellement sentir les conséquences de la guerre. Confrontés à une guérilla somme toute minoritaire, les États-Unis pourraient à plus long terme souffrir d'un rejet plus grave, car plus généralisé, y compris chez ceux pour qui ils ont d'abord et avant tout renversé une dictature.

Mais peut-être tout cela n'est-il au fond que la conséquence de la perception, chez ces populations, d'une politique non dévoilée et surtout éloignée des nobles préoccupations affichées – démocratisation, libération, sécurité internationale, droits de l'Homme, etc.

Il importe donc de remettre en cause les arguments avancés par Washington, si l'on veut entrevoir l'avenir de cet anti-américanisme. Si les promesses ne furent que des prétextes, il est clair que l'hostilité à l'encontre des États-Unis continuera de grandir. En revanche, si l'Amérique ne fait que repousser provisoirement l'application de promesses qu'elle compte bel et bien tenir, alors l'espoir est permis.

7

Que veulent vraiment les Américains ?

PLUSIEURS arguments ont été avancés par l'administration Bush pour justifier la guerre en Irak. Aujourd'hui encore, le maintien des troupes est expliqué notamment par la lutte contre le terrorisme, G.W. Bush n'hésitant pas à mentionner Oussama Ben Laden pour mieux donner forme à la « menace » environnante. Mais nombre de médias et opinions publiques à travers le monde ont très vite montré leur scepticisme face à ces justifications. Le débat demeure vigoureux entre critiques et partisans de la guerre. Les médias américains, après s'être montrés crédules, après s'en être excusés pour certains, ne cessent à présent de s'interroger dans leurs colonnes et « talk shows » sur les vrais motifs de l'intervention américaine. À notre tour de nous y plonger pour tenter de démêler, non pas le vrai du faux (car même les responsables de cette guerre doivent l'ignorer), mais le vraisemblable de l'improbable.

Qu'en est-il donc des armes de destruction massive, de la démocratisation régionale par « effet dominos » positif, ou encore des liens entre le régime de Saddam Hussein et l'organisation terroriste Al Qaïda ? Qu'en est-il, par ailleurs, du facteur pétrolier, élément nécessairement pris en compte par la coalition mais difficile à mettre en avant pour légitimer un conflit ? Toute la question est de savoir jusqu'à quel point l'argument a pu peser dans la décision d'intervenir.

Il n'existe pas, dans cette affaire, de preuves irréfutables. Nous parlerons donc plutôt de « faisceaux d'indices », dans la mesure où il s'agit ici, au fond, de s'interroger sur la sincérité des décideurs américains. En la matière, il faut se méfier des conclusions hâtives comme des prophéties et leur préférer des hypothèses.

Quelles armes de destruction massive ?

La Maison-Blanche n'est pas indéfiniment tenue par les politiques précédemment menées, et les mêmes hommes ne produisent pas les mêmes analyses à plusieurs années d'intervalle. Ainsi Donald Rumsfeld, aujourd'hui secrétaire d'État à la Défense, et l'un des hérauts de l'intervention contre le régime menaçant, fut-il sous la présidence Reagan en contact direct avec le dictateur irakien en vue de lui fournir le matériel incriminé.

Mais plus encore que l'incohérence de certains membres de cette administration, qui n'hésitent pas à condamner ce à quoi ils ont longuement participé, se pose le problème du bien-fondé des accusations. Colin Powell, à la tribune onusienne le 5 février 2003, ne semblait pas douter de ses preuves, face à un auditoire exigeant et plus que sceptique. Peu à peu, cependant, les éléments se sont faits plus probants – mais dans le sens contraire à celui annoncé. Hans Blix, qui dirigeait les inspections pour l'ONU en Irak de 2000 à 2003, a persisté à contredire l'administration Bush, mettant au jour l'absence de preuves et plaidant pour que l'enquête se poursuive deux à trois mois supplémentaires. Démissionnaire, il n'en a pas pour autant renié ses mises en cause, dont il a tiré un livre au titre éloquent : *Irak, les armes introuvables*[1]. Le 23 janvier 2004, le chef des experts américains chargés de rechercher des armes de destruction massive en Irak, David Kay, démissionne lui aussi en mettant en doute les accusations portées contre le régime de Saddam Hussein.

Aucune arme de ce type n'a encore été trouvée à ce jour en Irak, malgré tous les éléments que

---

1. Fayard, 2004.

Colin Powell a fait défiler lors de sa prestation, diffusée dans le monde entier. Au final, et sans qu'il soit nécessaire d'aller plus avant dans le détail des nombreux arguments discréditant les affirmations de Washington, il apparaît clairement que ce motif a été avancé au mieux avec des doutes, au pire en usant du mensonge.

D'autres arguments, cependant, ont été utilisés pour justifier l'intervention, ceux-là moins contestables.

Démocratisation ?

L'intervention de la coalition en Irak a été motivée entre autres, à en croire les responsables, par une volonté de « démocratiser » la région. Non seulement l'attaque visait à renverser une dictature mais, surtout, celle-ci une fois remplacée par un régime démocratique, la région entière devait entrer dans un processus vertueux, la fantasmatique « fin de l'Histoire » (Fukuyama) l'emportant du même coup sur le prétendu « choc des civilisations » (Huntington). Si les intentions affichées manquent là encore de crédibilité, reste que Saddam Hussein a bel et bien été renversé, capturé et déféré devant la justice de son pays (quoi qu'il advienne par ailleurs de ce difficile procès).

Quelles sont dès lors les chances de succès de l'hypothèse démocratique ?

Le scénario imaginé de l'après-guerre est loin d'être mis en œuvre dans les faits. Le chaos en Irak démontre qu'il est compliqué de dépasser les divisions sociales. Aux clivages confessionnels s'ajoutent d'autres divergences rendant la seule question du partage particulièrement ardue et annonciatrice d'une lutte de pouvoir des plus féroces. Plus précisément, les Américains devront mettre d'accord les différents chefs de tribus qui se sont imposés depuis le début du conflit et surtout depuis la fuite de Saddam Hussein. George W. Bush promet que, le dictateur ayant été déchu, la démocratie ne connaîtra plus d'entraves. Il semblerait plutôt que ce soit le contraire. En effet, sur place, la concurrence entre chefs locaux fait rage. La compétition se joue de surcroît sur plusieurs niveaux : entre décideurs régionaux, entre ces derniers et les urbains, enfin entre les exilés et les opposants restés dans le pays. Dans quelles proportions le pouvoir sera-t-il partagé ? L'Irak deviendra-t-il une véritable fédération comme le réclament les Kurdes ? Ou, plus modestement, un État décentralisé aux mains des chiites majoritaires ? Et, dans ce cas, comment la représentation de l'importante minorité restante sera-t-elle assurée ? Sur tous ses sujets, nous ne savons qu'une chose, c'est que nous ne savons rien. Quant à la propagation de la démocratie par l'«effet dominos» escompté dans la région, rien n'est plus incertain, même s'il est clair que les dirigeants des pays voisins ont toutes les raisons de s'inquiéter.

Paradoxalement, la crise irakienne a entraîné des effets involontaires mais positifs en apparence pour la démocratie ; elle a fait massivement réagir les peuples de la région. Quelle portée donner à ces événements ? Sont-ils le signe d'une contestation profonde ? Rien n'est moins sûr. Car, bien que ces manifestations aient été l'occasion de critiquer les dirigeants arabes, la contestation a surtout concerné les États-Unis, révélant bien souvent un fort anti-américanisme.

Résistance ou terrorisme ?

Autre argument : c'est (aussi) pour mettre à mort la mouvance Al Qaïda que George W. Bush a justifié l'attaque de l'Irak. Plus encore que la question de la présence d'armes de destruction massive, celle du lien entre le régime de Saddam et la nébuleuse Ben Laden a de quoi laisser perplexe. Il est clair, en effet, que l'organisation n'a de soutien sûr que de la part des États amis de Washington au Moyen-

Orient que sont l'Arabie Saoudite et le Pakistan.

Or, depuis le début de la guerre en Irak, des actions « terroristes » sont recensées chaque jour. Serait-ce le signe que l'administration Bush avait dit vrai ? Loin de là. Il convient en effet de prendre certaines distances vis-à-vis du discours officiel américain et des médias occidentaux qui trop souvent s'en font le fidèle relais. En premier lieu, il faut distinguer le terrorisme (ensemble d'actes visant par l'instauration d'un climat d'insécurité à exercer une pression voire un chantage, en l'espèce, sur une communauté venue « libérer » le peuple irakien) de la résistance (opposition légitime de la part d'une population « occupée »). Il serait malhonnête de s'arrêter au simple renversement d'un dictateur. Personne ne conteste fondamentalement les crimes du régime baasiste, qui a fait des centaines de milliers de victimes (exécutées, torturées) et des millions d'opprimés. Et il n'est certainement pas inutile de rappeler qu'outre la guerre contre l'Iran (500 000 morts de chaque côté), en mars 1988, Saddam Hussein aurait massacré 5 000 Irakiens au Kurdistan et serait plus généralement responsable de la « disparition » de 182 000 personnes et de la fuite d'environ 4 millions d'autres du fait de la répression. Mais il faut rappeler aussitôt la responsabilité – même indirecte – de l'Occident comme des autres pays de la région dans ces exactions. Entre l'armement de Saddam, le soutien massif qui lui a été apporté dans sa lutte contre l'Iran, et la dictature installée par lui, il n'y a qu'un pas. De même, les États-Unis ou la Grande-Bretagne oublient trop souvent de rappeler que l'embargo inique imposé depuis la fin de la guerre du Golfe, et les bombardements incessants depuis 1998, ont provoqué une véritable catastrophe humanitaire au sein de la population dont ils affirment à présent tant vouloir se soucier. Autrement dit, parler de terrorisme pour qualifier des actes d'Irakiens à l'encontre d'un occupant armé, hier encore indifférent au sort de la population locale et aujourd'hui incapable de reconnaître ses propres intérêts dans cette intervention, semble pour le moins inapproprié. Car si la population irakienne ne peut que se réjouir de la fin d'une dictature, est-ce une raison suffisante pour fermer les yeux sur les responsabilités passées des États-Unis et sur leurs mensonges présents ?

Cela dit, s'il s'agit souvent plus de résistance que de terrorisme, tel n'est pas toujours le cas, comme en témoigne avant tout le fait que les Irakiens eux-mêmes sont victimes de ces actes. Ainsi, il ne faudrait pas tomber dans l'excès inverse consistant à voir dans la situation irakienne d'aujourd'hui la juste réaction d'un « peuple opprimé » face à de nouveaux « colonisateurs ». La situation est bien plus complexe. Une dictature est tombée grâce à l'alliance menée par les États-Unis. Pour autant, ces derniers cherchent davantage à mettre en place un régime allié qu'à instaurer une véritable démocratie qui amènerait les chiites au pouvoir. Les réactions d'une partie de la population irakienne ne relèvent dès lors pas toutes nécessairement du terrorisme. De plus, ce bouleversement de la situation constitue un enjeu majeur pour les sunnites qui, baasistes ou non, ont aujourd'hui beaucoup à perdre, dans la mesure où ils ne constituent qu'une minorité de la population (entre 38 et 40 %). Mais Al Qaïda est-elle pour autant exclue de la scène ?

Al Qaïda en Irak ?

D'après des sources américaines, environ 2 000 combattants auraient pénétré sur le territoire irakien afin d'affronter les GI's – de même que, d'après l'administration Bush, le régime de Saddam avait des liens avec Al Qaïda.

Dans les deux cas cependant, rien n'est établi. Sur le terrain, nul ne peut dire avec certitude qui sont ces combattants qui font mentir la « mission accomplie » de George W. Bush depuis le 1er mai 2003. Anciens membres du parti Baas ? Recrues d'organisations terroristes qui trouveraient en Irak une nouvelle terre de jihad ? Ou encore légionnaires envoyés par les pays voisins comme la Syrie ? Rien n'est à exclure.

Cela dit, dans la mesure où Al Qaïda est davantage une « franchise » qu'une structure physique, il est évident que certaines des attaques perpétrées contre les « occupants » sont le fait de sympathisants du mouvement, unilatéralement rattachés au réseau, sans intervention claire et directe de ce dernier. Des enquêtes sur place ont révélé que certaines cellules islamistes proposeraient de 1 000 à 5 000 dollars américains aux jeunes Irakiens pour devenir des bombes humaines. Offre particulièrement alléchante pour une population fortement touchée par le chômage et qui, en raison de sa jeunesse, a vécu une enfance ou une adolescence frappée de plein fouet par l'embargo et plus généralement par la paupérisation de la société. Ces individus, désireux autant de matérialiser leur révolte que de subvenir aux besoins de leur famille, sont une cible toute désignée. Et pour faciliter encore la tâche des terroristes, la circulation des armes provenant du régime baasiste continue de s'opérer sans réelle difficulté, l'administration américaine se contentant de n'en racheter qu'une partie.

Par ailleurs, la situation irakienne actuelle à fait voler en éclats les logiques tribales. Si l'implication d'Al Qaïda n'est pas prouvée, celle des différentes tribus composant le pays est en revanche avérée. Ainsi, le centre de l'État (notamment la région de Falludjah) est particulièrement touché par des actions d'Irakiens du fait de leur appartenance à un clan. Ils reprennent le flambeau du combat suite au décès des aînés (logique de vengeance), tout en s'opposant au traitement jugé trop brutal auquel les GI's se livreraient (logique de réaction). Dans ces tribus en effet, le respect des règles traditionnelles revêt une importance susceptible de légitimer des actions violentes si lesdites règles venaient à être enfreintes. Les soldats américains sont alors souvent décrits comme des « agresseurs », justification qui expliquerait en partie pourquoi les Britanniques sont moins concernés par la « résistance ».

Enfin, si la présence directe ou indirecte d'Al Qaïda n'est pas à exclure, elle représente surtout un spectre utile pour les dirigeants américains. En agitant la menace Ben Laden, l'administration Bush est sûre de mobiliser son opinion publique. Elle rappelle l'horreur des attentats du 11 septembre, mais surtout, en arrière-plan, elle ravive le patriotisme autour duquel s'est cristallisée une apparente union nationale (chaque communauté arborant indifféremment la bannière étoilée), remémore à tous l'humiliation et par là même suscite logiquement le désir de vengeance. Le soutien intérieur étant de ce fait assuré, la mise en avant de liens supposés entre le régime de Saddam Hussein et l'organisation terroriste place la communauté internationale dans une situation culpabilisante (« Si vous n'êtes pas avec nous, vous êtes *contre* nous »…). Depuis le discours de janvier 2002, au cours duquel George W. Bush a pointé du doigt « l'Axe du Mal », la situation internationale fait l'objet d'une lecture manichéenne plaçant chaque État dans l'obligation de se situer par rapport à cette « morale » américanocentrée. Après la « démonstration » de Colin Powell à l'ONU le 5 février 2003, après les armes de destruction massive introuvables, après les scandales dans l'attribution des marchés de la reconstruction, bref, après tant de déroutantes « maladresses » américaines, comment croire que la menace Ben Laden soit autre chose qu'une manipulation supplémentaire ? Pour Gilles Kepel, Ben Laden n'a jamais été qu'une « sorte d'incarnation à lui seul de l'Empire du Mal, voire la star d'une sorte de feuilleton planétaire où il jouait le rôle du *bad guy* hollywoodien, assurant le succès des programmes de télévision, magazines, livres et *websites* à lui consacrés, et servant de justification à un certain nombre de choix politiques américains[1] ».

---

1. Gilles Kepel, *Jihad*, Folio Actuel, février 2003, p. 480.

En 2001, le Proche-Orient produit 30,6 % du pétrole mondial et détient 65,54 % des réserves connues. L'OPEP souffre d'un manque de cohésion et de lignes directrices claires. Sur le plan mondial, le marché a considérablement évolué. En 2000, l'Asie (hors Japon) est devenue le premier client du Moyen-Orient avec 117 milliards de dollars. Ceci s'inscrit dans un contexte de forte croissance économique internationale depuis une dizaine d'années, notamment sous l'impulsion des pays asiatiques. De nouveaux clients apparaissent et, avec eux, la demande en hydrocarbures se renforce.

Dans ce cadre, loin des visées démocratiques et antiterroristes, les États-Unis procèdent aujourd'hui à ce qu'ils estiment être une nécessaire redistribution des cartes dans la région, afin notamment d'être moins dépendants de l'incertain allié saoudien, d'établir une nouvelle zone sous influence américaine et de réduire le pouvoir de l'OPEP. Il s'agit d'accéder à de nouvelles réserves à faibles coûts de production, de maîtriser les prix et de sécuriser certaines voies d'acheminement du pétrole et du gaz. Or le simple contrôle des ressources énergétiques de l'Irak – deuxième réserve d'hydrocarbures au monde – le leur permettrait. Ainsi, deux mois après le renversement du régime de Saddam Hussein par les forces alliées, les objectifs affichés des États-Unis étaient d'amener la production à 3 millions de barils par jour avant la fin 2004, puis de 3 à 6 Mb/jour dans les cinq ans.

Pour l'heure toutefois, la production est faible et son avenir incertain. De l'ordre de 2,5 Mb/jour avant l'invasion, elle représentait 0,5 Mb/jour deux mois après la fin officielle de la guerre, les exportations n'ayant repris que depuis juin 2003. Et, plus encore que les questions techniques, se pose pour les Américains le problème de l'acceptation par la population irakienne de leur stratégie. Comme le souligne Jean-François Giannesini : « Ceux qui imaginent qu'il suffit d'instaurer à Bagdad un régime démocratique, plus ouvert à l'économie libérale, pour voir *ipso facto* les réserves pétrolières irakiennes s'offrir aux compagnies occidentales, vont un peu vite en besogne. Jamais, dans ce Moyen-Orient compliqué, les grands États pétroliers ne sont revenus sur les nationalisations du passé, lesquelles leur avaient donné le contrôle de leur richesse nationale. Comment les populations réagiront-elles face à cet éventuel retour en arrière, quand bien même elles se réjouissent d'un changement de régime ? La tâche sera ardue de trouver un cadre légal et fiscal qui permette à la fois de respecter le sentiment national et d'ouvrir largement la porte au marché financier international[1]. »

En outre, la difficile sécurisation des zones pétrolifères pose de nouveaux problèmes. La rébellion irakienne a vite compris, en effet, les dommages considérables que peuvent causer des attaques sur de tels lieux.

Finalement, non seulement l'or noir irakien n'est pas exploité comme il pourrait l'être, mais surtout c'est l'ensemble de l'économie nationale qui est affectée, et avec elle, dans notre monde interdépendant, celle de la planète capitaliste tout entière.

Une hypothèse

Étant donné la fragilité de l'ensemble des arguments avancés et les questions que pose le facteur pétrolier, on peut se demander si les Américains ne sont pas intervenus en Irak pour une raison jamais évoquée mais qui ne manque pas de pertinence. Nous avons vu déjà les liens entre les États-Unis et l'État hébreu. L'hypothèse que nous soulevons ici consiste à se demander si l'« effet dominos » invoqué ne

1. In *Irak : le Moyen-Orient sous le choc, op. cit.,* p. 134.

serait pas en réalité tourné vers l'allié israélien, précieux gendarme régional, pays occidentalisé et partageant des valeurs fortes avec l'Amérique.

Tout aurait alors commencé en 1953, lors de l'attentat contre Mossadegh, qui voulait nationaliser les industries pétrolières iraniennes. Depuis la première guerre du Golfe, les États-Unis ont obtenu les accords d'Oslo et surtout l'accord militaro-économique de 1996 entre Israël et la Turquie. Depuis lors également, la Syrie est sur la défensive, géographiquement défavorisée car placée entre les deux nouveaux alliés. En d'autres termes, après l'encerclement, l'affaiblissement ou la clientélisation de toutes les puissances régionales, seul l'Irak de Saddam (celui qui envahissait ses voisins ou les menaçait et s'accommodait plutôt bien des sanctions subies – embargo et bombardements – en les instrumentalisant pour se poser en victime), seul cet État, donc, demeurait dangereux – non pas pour les États-Unis mais pour Israël, cible de toutes les frustrations régionales. L'« effet dominos » recherché consisterait dès lors à abaisser une à une toutes les barrières à la tranquillité absolue de l'État hébreu dans ses relations de voisinage. Comment y parvenir, sinon en morcelant la zone ?

La guerre du Liban est terminée. Du moins, tout le monde y compris les plus pessimistes, l'avaient cru. Beyrouth donne l'impression que les différentes communautés ont retrouvé la volonté de vivre en bonne entente. Mais ce n'est pas le cas hors de la capitale. Les déplacements de population n'ont pas été suivis du retour des familles dans leurs villages d'origine. Deux des conséquences encore visibles de la guerre du Liban sont les mouvements de ces hommes et femmes et le renfermement communautaire. Or l'Irak connaît la même situation, le même type d'évolution. L'éclatement communautaire y est « longuement provisoire », peut-être même définitif.

L'attaque israélienne du 12 juillet 2006 en représailles à l'enlèvement de deux soldats israéliens par le Hezbollah a pris en quelques jours des proportions gigantesques. L'une des conséquences de cette attaque a été de faire tomber le tabou de la partition : on parle désormais ouvertement de l'éclatement communautaire du pays. La position diplomatique des États-Unis vis-à-vis d'Israël parut laxiste aux yeux des pays arabes.

Impossible, dès lors, d'écarter l'hypothèse selon laquelle les États-Unis chercheraient en fait à remodeler le Moyen-Orient en créant plusieurs États « croupions » fondés sur une appartenance ethnique :

— un État kurde au nord de l'Irak ;

— un État arabo-sunnite dans le « triangle sunnite » irakien ;

— un État chiite au centre et centre-sud de l'Irak ;

— un État chrétien fondé sur les bases de l'ancienne willaya d'Alep, qui serait créé à Mossoul mais toucherait aussi la Syrie ;

— un État druze dans le Djebel, le Golan et la Bekaa ouest ;

— un État pour les alaouites syriens, dans la vallée des Nazaréens, avec une grande façade maritime ;

— une enclave arabo-sunnite autour de Damas, sans pouvoir de blocage de la route Beyrouth-Damas ;

— un État chrétien dans les montagnes libanaises ;

— un État chiite ou une extension de l'État chiite « irakien » dans le sud du Liban.

Un tel remodelage susciterait un déplacement de population qui sauverait Israël. Le comble est que ces diverses populations (à l'exception des alaouites syriens) accepteraient toutes avec plaisir une telle répartition. Les États « croupions » auraient pour gendarmes Israël et les forces américaines placées en Irak (elles vont y rester encore longtemps).

« Le monde arabe ne laissera pas faire »,

diront certains... Mais quel monde arabe ? Tous les régimes arabes actuels veulent se faire bien voir de l'administration américaine, d'autant qu'ils constatent que les Américains sont capables d'exclure des contrats de reconstruction ceux de leurs « amis » qui n'ont pas participé à la guerre. Le seul pays arabe qui peut gagner à ce remodelage est la Jordanie, redevenue un État tampon et un État tremplin offrant aux Américains un accès à la Méditerranée orientale.

La guerre déclenchée entre Israël et le Hezbollah en juillet 2006 va d'ailleurs dans ce sens. L'intérêt de l'Iran de faire « bouger » le Hezbollah à cette date ne s'arrêterait pas à un simple enjeu de négociations sur le dossier nucléaire iranien. Il permet à Téhéran d'affirmer l'existence d'un arc géostratégique chiite partant de Téhéran jusqu'au sud-Liban en passant par l'Irak et la Syrie (*cf.* plus loin, p. 183). Mais surtout la présence militaire américaine en Irak permet aux États-Unis de parachever une ligne de « containment » face à la Chine et à l'Inde de demain.

8

Israël, un État atypique

———————————

L'HYPOTHÈSE d'un morcellement régional visant à protéger Israël est donc une explication possible de la guerre en Irak, dans la mesure où celles avancées par l'administration Bush sont à tous points de vue insatisfaisantes. D'autre part, les interventions décidées à Washington mènent à l'affaiblissement des régimes politiques et plus largement des États qui se disloquent à la suite des conflits fratricides entre groupes ethniques dont les identités se réveillent en période de crise sociale, économique et politique. Il reste un élément important afin de compléter le puzzle. Qu'en est-il donc de la situation de l'État hébreu, partenaire et allié privilégié des États-Unis ? Pourquoi aurait-il besoin d'un tel morcellement ? Les aides venues de Washington en matière d'armement ainsi que la supériorité économique du pays ne suffisent-elles pas à assurer la sécurité de l'État ? L'affaiblissement des pays voisins est en effet coûteux et crée des déstabilisations qui pourraient engendrer de nouvelles violences à l'encontre d'Israël (attaques terroristes isolées ou mise en cause politique par des régimes faibles en quête de légitimité). Mais, au vu des fortes particularités de la nation israélienne (valeurs fondatrices, liens entre l'État et la religion, évolution au sein de la société) et des données internationales actuelles, on conçoit que le jeu en vaille peut-être la chandelle.

Baruch Kimmerling analyse ainsi la société israélienne : « La collectivité n'a jamais réussi à décider si le judaïsme est une religion ou une sorte de nationalisme, ou les deux. Immigrants colons, nous avons besoin d'une légitimation pour être ici. La religion juive en présentait une. C'est pourquoi le sionisme laïque lui a emprunté ses thèmes centraux et même sa terminologie. Désormais, l'hégémonie sioniste est menacée par la décomposition du couple religion-nation[1]. » Pour éviter de choisir entre légitimité religieuse et citoyenneté laïque, la déclaration d'indépendance de 1948 prévoit que « l'État d'Israël sera fondé sur la justice, la liberté et la paix selon l'idéal des prophètes

---

1. « La division s'aggrave entre Séfarades et Ashkénazes », *Ha'aretz*, cité in *Courrier international* n° 342 du 22 au 28 mai 1997.

d'Israël ; il assurera la plus complète égalité sociale et politique à tous ses habitants, sans distinction de religion, de race ou de sexe ». Ce faisant, elle mêle donc références religieuses et garantie d'égalité de traitement laïque.

L'expérience a montré que l'équilibre n'a pu se réaliser, comme l'illustre la situation des Arabes israéliens. Palestiniens essentiellement musulmans et chrétiens, qui n'ont pas été chassés ni ne sont volontairement partis en 1948, ils sont devenus citoyens israéliens en 1949, lorsque Israël a annexé les zones attribuées par le plan de partage à l'État arabe. Jusqu'en 1966, ils ont donc été soumis à un gouvernement militaire qui les astreignait à des permis de déplacement, au couvre-feu, et qui favorisait la colonisation juive à travers la confiscation des terres arabes. Depuis, comme le souligne A. Dieckhoff, leur situation s'est améliorée. Ils jouissent de droits individuels et collectifs leur garantissant la liberté de culte, de conscience, de langue et de culture. Pour autant, ils n'ont pas les mêmes droits civiques et sociaux que les citoyens juifs. Ainsi par exemple, les zones défavorisées auxquelles l'État verse des subventions visant à encourager le développement économique et social n'incluent aucun village arabe, alors que les habitants de ces villages sont nettement plus pauvres que le reste de la population israélienne

(50 % d'entres eux vivent en dessous du seuil de pauvreté contre 5 % de la population juive, et en moyenne le salaire d'un ouvrier arabe est inférieur de 23 % à celui d'un ouvrier juif). Plus encore, certaines discriminations peuvent prendre un caractère légal. Depuis 1948, les Arabes d'Israël sont exclus de Tsahal, l'armée israélienne, un des symboles de l'appartenance à la communauté nationale (à l'exception des druzes, en charge de la surveillance des zones arabes). Le mariage entre juifs et non-juifs est prohibé. La loi d'égalité devant l'emploi de 1988, qui prévoit des poursuites en cas d'attitude discriminatoire, ne s'applique qu'aux inégalités de traitement fondées sur le sexe, les préférences sexuelles et le statut familial. C'est dire combien l'idée même de citoyenneté des Arabes d'Israël demeure incertaine, ce qui tient à la nature de l'État d'Israël. Alors qu'il a la particularité forte d'être la seule démocratie du Proche-Orient, il contrevient au principe même d'égalité en mettant l'accent avant tout sur l'ethnie et la judéité. Créé sur la base de références bibliques et soumis à la pression permanente des citoyens les plus religieux, qui malgré leur faible nombre pèsent fortement sur la vie politique, l'État hébreu n'a pas à ce jour trouvé les ressources lui permettant de ne plus être lié à la religion.

Il est pourtant des périodes où la cohésion

nationale s'opère, en dépit des problèmes liés au rôle central de la religion. Elle semble alors reposer sur la nécessité de s'unir face aux menaces extérieures. Les guerres successives avec les voisins arabes ont logiquement amené les Israéliens à se préoccuper d'abord de survivre ensemble face à l'ennemi avant de savoir exactement ce que recouvrait ce « ensemble ». Mais la société évoluant, la question se pose sans cesse de manière plus aiguë et prioritaire. Cherchant dans l'immigration la population qui lui fait défaut face aux pays environnants, Israël a accueilli notamment entre 1989 et 1994 plus de 500 000 personnes venues d'ex-URSS, soit une augmentation de 10 % de sa population en seulement cinq ans[1]. Or ces juifs d'origine russe, qui représentent aujourd'hui 20 % de la population israélienne, ne sont pas reconnus par le Grand Rabbinat et connaissent d'immenses difficultés à s'intégrer dans la société, se trouvant le plus souvent dans des emplois dont la qualification ne correspond pas à leur niveau de compétence. À quoi s'ajoute l'importance des travailleurs asiatiques immigrés, qui constituent presque un dixième de la population.

Au total, près de la moitié de la population

---

1. Sophie Goyer et Sarah Dettamante, « Minorités et identité en Israël, facteurs de déstabilisation interne », in *Défense nationale*, novembre 1998, 54ᵉ année, n° 11.

d'Israël n'est pas juive ou n'est pas considérée comme telle. Par conséquent, le caractère hébreu de l'État est menacé. Ceci constitue un risque non seulement pour sa cohésion mais aussi et surtout pour sa taille (les colons sont les individus les plus religieux), voire pour sa survie, dans la mesure où le caractère hébreu de l'État est son trait premier.

Le sionisme – de « Sion », colline de Jérusalem – puise ses sources dans les textes sacrés et dans l'histoire. Il est l'idéologie du retour des juifs en Palestine, appelée en hébreu « Terre d'Israël » (*Eretz-Israël*). Pour les théoriciens du peuple juif, son histoire commence mille ans avant Jésus-Christ avec l'exil vers Babylone et n'a cessé d'être marquée par des tentatives de retour d'une partie de cette population. S'appuyant notamment sur la promesse biblique selon laquelle Dieu dit à Abraham : « À ta postérité je donne ce pays, ce pays où coulent le lait et le miel », les sionistes désignent la Palestine comme seul lieu possible d'implantation de l'État hébreu.

Cet objectif est inscrit lors du Congrès sioniste de Bâle du 29 au 31 août 1897. Ainsi, au lien sentimental ancien d'une partie des juifs pour cette région forte de symboles se substitue une véritable revendication, au nom de laquelle, dès 1895, Theodor Herzl préconise des méthodes radicales : « Le double processus d'expropriation et de déplacement des pauvres doit être mené de façon prudente et discrète. Que les propriétaires fonciers s'imaginent qu'ils nous roulent et nous vendent leurs biens à des prix exagérés, nous, pour notre part, ne leur revendrons rien. »

En réalité, comme toute revendication fondée sur des arguments religieux, le sionisme est objet de débats[1]. Il ne s'agit pas ici de prendre part à ces querelles, mais simplement de faire valoir qu'une partie des arguments à l'origine du sionisme sont aujourd'hui encore discutés dans la mesure où ils sont reliés à des croyances.

Toutefois, il est intéressant de noter que Theodor Herzl, père du sionisme politique moderne[2], envisagea la possibilité de créer l'État juif en Argentine. Dans ce cas, l'élément religieux s'effaçait devant des considérations pragmatiques, puisque ce pays présentait notamment l'avantage de compter en son sein

---

1. Certains théologiens ont notamment mis en valeur le fait que la promesse faite à Israël était conditionnée à l'obéissance de ce dernier aux commandements divins, condition non réalisée.

2. Qualifié de « politique », le sionisme se distingue du sionisme « messianique » bien plus ancien en ce qu'il invite les juifs à prendre en main le projet de retour en Palestine au lieu d'attendre le retour du Messie pour ce faire.

une population juive conséquente. Dans son ouvrage, conçu comme un véritable plan d'action (*L'État des Juifs*, sous-titré *Contribution à une solution moderne de la question juive*), Herzl écrit : « Faut-il donner la préférence à la Palestine ou à l'Argentine ? La *Society*[1] prendra ce qu'on lui donne et ce que l'opinion des Juifs choisira. La *Society* procédera aux constatations. L'Argentine est l'un des pays les plus riches du monde, d'une superficie énorme, avec une faible population et un climat modéré. La République argentine aurait le plus grand intérêt à nous céder un morceau de son territoire. L'infiltration juive actuelle y a naturellement provoqué quelque mécontentement ; il conviendra d'éclairer l'Argentine sur la nature différente de cette nouvelle immigration juive[2]. » Mais l'auteur n'en oublie pas pour autant l'importance de la religion et précise quelques lignes plus loin : « La Palestine reste notre patrie historique inoubliable. Son seul nom constituerait pour notre peuple un cri de ralliement d'une extraordinaire puissance[3]. » Entre affirmation du bien-fondé des arguments

---

1. La « Society of Jews » est un organe politique, imaginé par Herzl, rassemblant les Juifs acquis à sa cause qui seront chargés de discuter avec les gouvernements pour les convaincre de faire aboutir l'État des Juifs.

2. Theodor Herzl, *L'État des Juifs*, trad. de Claude Klein, La Découverte, septembre 2003, pp. 43-44.

3. *Ibid.*, p. 44.

bibliques et conscience de leur force mobilisatrice, Herzl livre les raisons de sa préférence mais ne développe pas davantage. Il n'est pas évident, dans ce cadre, de cerner la place exacte de la Bible dans le projet étatique de l'auteur. Néanmoins, le choix s'étant très vite porté sur la Palestine, la question a perdu *de facto* de son intérêt : la « patrie historique inoubliable » l'emportera sur la proposition argentine.

Dès lors, résultat d'une croyance et fruit d'une interprétation, le mouvement sioniste à lui seul ne suffit nullement à permettre la création d'un État dans une région majoritairement étrangère et hostile au projet. Ce sont les circonstances qui, paradoxalement, ont agi en sa faveur.

Le succès soudain du sionisme s'explique par l'antisémitisme ambiant à la fin du XIXe siècle. Il est significatif que la thèse de Theodor Herzl ait vu le jour en pleine affaire Dreyfus (1894-1906) et au moment des pogroms (*L'État des Juifs* parut en 1896). Herzl, d'ailleurs, dit explicitement que son idée se fonde en réaction contre l'antisémitisme : « Le projet que je présente ici comporte l'utilisation d'une force motrice bien présente dans la réalité. (...) Tout dépend de la force motrice. Quelle est-elle ? La détresse des Juifs. (...) Ce que je dis, c'est que si cette force est correctement utilisée, elle sera assez puissante pour actionner une machine importante et mettre en marche des hommes et des choses[1]. » Herzl considère que la souffrance des juifs, victimes de l'antisémitisme, peut donner lieu à une mobilisation constructive et permettre la réalisation de son plan. En d'autres termes, l'État juif est ici pensé par rapport au contexte, en réaction à l'hostilité et la violence dont sont victimes à cette période de plus en plus de juifs.

Mais ses idées ne rencontrent alors que peu d'échos, car, à la même époque, d'autres théories sont élaborées et connaissent un certain succès. Ainsi, les marxistes considèrent que la « question juive », produit du capitalisme, trouvera sa solution avec l'avènement du socialisme. Le judaïsme libéral, présent en France, en Allemagne et en Angleterre, prône, quant à lui, l'assimilation des juifs dans les États-nations dont ils partagent la culture.

En somme, plus encore que les arguments théologiques, ce sont les événements antisémites qui fournissent au mouvement sioniste sa plus grande raison d'être. L'idée de permettre aux juifs de ne plus être persécutés grâce à la création d'un État souverain fait son chemin en Occident.

---

1. *Ibid.*, pp. 16-17.

Pour des raisons mêlant stratégie et culpabilité culminante, au lendemain de la Deuxième Guerre mondiale, les gouvernements occidentaux participent activement à la création d'Israël.

La Grande-Bretagne, dans un premier temps, établit un « Foyer national » juif, sur la base de la Déclaration Balfour, en terre de Palestine alors sous sa domination, Français et Britanniques s'étant partagé l'Empire ottoman par les accords Sykes-Picot de 1916. Diviser cette zone permettait pour la Grande-Bretagne – la formule n'est plus un secret pour personne – de mieux y asseoir son règne. Or, s'y jouaient déjà le contrôle de l'accès à l'océan Indien, la protection de Suez et le contrôle des ressources pétrolières (dont l'importance ne fut toutefois réellement perçue qu'après la Deuxième Guerre mondiale).

Cette décision fut prise alors que la région entamait une période de sécularisation, marquée par le déclin presque total de l'influence de l'Église, et culminant avec l'abolition du Califat ottoman par Atatürk en 1924. L'installation d'une nation sur la base d'arguments religieux se révélait contraire à l'évolution des sociétés locales. Toutefois, à ce stade, il ne s'agissait pas encore d'une entité juridique souveraine mais d'un « Foyer », ce qui, selon la Commission King-Crane nommée par le Président des

États-Unis Woodrow Wilson en 1919, ne pouvait nullement mener à la construction étatique. En effet, un tel projet aurait contredit, d'une part, le principe wilsonien du droit des peuples à l'autodétermination (en l'espèce, les peuples arabes) et, d'autre part, les conditions relatives au mandat britannique sur la région donné par la Société des Nations, qui prévoyait l'organisation par la puissance mandataire de l'accession des populations locales à l'indépendance [1].

Les juifs, pour leur part, ne concevaient pas ce « Foyer national » autrement que comme une étape. Le plan élaboré par Theodor Herzl était très clair : « Personne n'est assez fort ou assez riche pour transplanter un peuple d'un endroit à un autre. Seule une idée peut y parvenir. L'idée de l'État a cette force. Tout au long de leur longue et tragique histoire, les Juifs n'ont cessé d'entretenir ce rêve royal : "l'an prochain à Jérusalem" [2]. » Rappelant l'ancienneté de cette aspiration pour les juifs, le père du sionisme moderne affirmait que ce retour ne pourrait se réaliser que dans le cadre de la structure étatique, unique construction souveraine pour un peuple destiné à se retrouver.

---

1. Article 22 du Pacte de la SDN.
2. Herzl, *op. cit.*, p. 29.

En 1939, la Grande-Bretagne avait publié un ultime Livre Blanc excluant la création d'un État juif, prévoyant l'indépendance de la Palestine en 1949 via un partage du pouvoir entre Juifs et Arabes et limitant l'immigration juive et la vente de terres[1]. L'étape décisive intervint au lendemain de la Deuxième Guerre mondiale.

La guerre suspendit *de facto* ces engagements et la culpabilité des Européens joua en faveur des sionistes, comme en témoigne le plan de partage. En substance, 55 % de l'ensemble du territoire palestinien devint la propriété des juifs, qui ne constituaient pourtant qu'environ un tiers de la population et ne possédaient jusqu'alors que 7 % des terres. Ils obtinrent les meilleures zones, c'est-à-dire celles où se trouvait la production d'agrumes et de céréales, la région en amont du Jourdain où se situait la

---

1. Ce Livre Blanc énonçait notamment : « On pouvait comprendre, d'après un passage de la Déclaration Churchill de 1922, que la Palestine n'était pas destinée à devenir un État juif. Cette déclaration n'ayant pas fait disparaître les doutes, le gouvernement de Sa Majesté déclare maintenant, sans équivoque, que sa politique ne vise pas à faire de la Palestine un État juif. (...) un État où les deux peuples, arabe et juif, se partageront l'autorité gouvernementale de telle façon que les intérêts de chacun soient sauvegardés. (...) L'immigration juive sera maintenue, au cours des cinq prochaines années, à un taux qui portera la population juive au tiers environ de la population totale du pays. (...) Après cette période de cinq ans, aucune immigration juive ne sera autorisée, à moins que les Arabes de Palestine n'y consentent. »

principale source d'approvisionnement en eau douce pour les Palestiniens et les zones d'accès maritime, notamment. Ce qui n'empêcha pas Ben Gourion (Premier ministre israélien de 1948 à 1954, puis de 1955 à 1963) de déclarer : « Le partage des Nations unies est injuste car il prive les communautés juives de la moitié de leur territoire biblique. »

Dès lors, de coreligionnaires, les juifs deviennent « les Juifs », membres d'un même État-nation soudé sans doute plus par la souffrance due à la haine dont ils sont l'objet que par des éléments objectifs, chacun venant de cultures et d'horizons très divers.

L'État alors naissant présente un caractère ambigu. Le débat sur la traduction de l'ouvrage de Theodor Herzl en est la parfaite illustration : *État juif* ou *État des Juifs* ? Alors que les premières publications ont opté pour la première traduction, les plus récentes ont choisi la seconde[1]. Selon l'expression choisie, il s'agit de mettre davantage l'accent sur le caractère juif de l'État lui-même, le rendant excluant, ou sur sa vocation à accueillir *notamment* des juifs. Par comparaison, un État islamique, régi par la charia (les règles issues du Coran et des Hadith, récits de la vie du Prophète), n'applique pas les

---

1. Notamment celle de Claude Klein, à laquelle nous nous référons ici.

mêmes lois qu'un État où se trouvent des musulmans, quand bien même ceux-ci seraient majoritaires.

Mais au-delà des querelles sémantiques, l'ambiguïté apparaît dès lors qu'il est question de déterminer les fonctions d'Israël, les missions que sa population est en droit d'attendre de lui. Tout en fondant son idée de création d'un État sur le rappel de la permanence, dans l'esprit de nombreux juifs, de la célèbre référence religieuse : « l'an prochain à Jérusalem », et en proposant l'installation de cette entité en Palestine, Theodor Herzl a voulu un État laïque.

Ainsi, la justification de la création de l'État sur cette terre déjà habitée se fonderait sur la Bible, mais son fonctionnement devrait ensuite en faire abstraction. L'hiatus – en témoigne la permanence des débats sur le sujet – est difficile à surmonter. Comment mettre de côté le caractère religieux de l'État sans du même coup remettre en cause sa légitimité même à exister ? Une réponse possible consiste à considérer la judéité non comme une appartenance religieuse mais comme une nationalité (les juifs deviennent « les Juifs »). Mais, dispersés dans de si nombreux États depuis si longtemps, quel est le point commun de ces individus, si ce n'est la religion ? Sur quel élément objectif se fonde le peuple juif pour survivre à la diversité linguistique, culturelle et historique de ses membres ? L'État hébreu étant la terre d'accueil des juifs, le législateur a dû trancher et donner une définition. La loi du retour de 1950 et celle de 1952 prévoient ainsi que tout juif peut s'établir en Israël et acquérir *ipso facto* la nationalité. Dans ce cadre, est juif « celui qui est né d'une mère juive, ou qui s'est converti au judaïsme, et qui n'appartient pas à une autre religion ». Pour des raisons de pragmatisme – voire de survie – face à une démographie arabe largement supérieure et en constante progression, il a toutefois été décidé d'étendre l'attribution de la nationalité israélienne aux familles des personnes juives (enfants, petits-enfants et conjoints). Pourtant, la religion demeure au cœur de la nation, les amendements n'ayant pour but que de rendre l'État viable.

L'identité des Israéliens est donc un sujet éminemment complexe. Tous ne sont pas croyants (ni même juifs), alors que la religion demeure au centre de l'État. Dans ce cadre, l'évolution de la société israélienne pose un problème sérieux pour la cohésion et par conséquent pour la survie d'Israël. L'hypothèse du morcellement, avancée au chapitre précédent, aboutirait au renforcement des appartenances religieuses dans la région, même artificiellement, dans le but – politique – de faire taire les menaces qui planent sur Israël.

9

À qui le tour ?

S I l'hypothèse est juste, c'est un énorme chantier auquel devra s'attaquer le gouvernement américain pour parvenir à remplir son objectif : la protection d'Israël. Le morcellement du Moyen-Orient, en effet, n'est pas une mince affaire. À ce jour pourtant, le bilan, tragique pour la région, révèle que l'entreprise – si entreprise il y a – n'est pas loin de réussir.

Rappelons à nouveau qu'il ne s'agit pas ici de faire l'apologie de cet hypothétique projet. Il est notre cauchemar, et les preuves manquent pour conclure qu'il est avéré. Néanmoins, tous les éléments vont dans le sens de sa probabilité. Notre but ici n'est pas d'affirmer mais de comprendre et de mettre en valeur les éléments troublants qui nous font craindre les effets de la politique menée par l'administration Bush au Moyen-Orient depuis le 11 septembre (et pensée depuis bien plus longtemps).

Prenons une carte de la région et dressons un

bilan, nécessairement très provisoire. L'Irak est exsangue. L'Égypte, la Turquie et l'Arabie Saoudite sont autant de nations dirigées par des régimes acquis à Washington. Seule la Jordanie n'est pas une menace. Restent la zone Syrie-Liban et l'Iran. Qu'en est-il de ces États ?

La Syrie

L'histoire de la Syrie est aussi celle des débuts de la civilisation et des religions comme le christianisme. À la croisée des chemins de pèlerinage et des routes du commerce, la région a de tout temps présenté un intérêt « stratégique » certain.

Après la chute de l'Empire ottoman, la Syrie fut sous mandat français, avant d'accéder à l'indépendance en 1946. Divisée, confrontée à la puissance israélienne grandissante, elle a connu un tournant marquant dans son histoire récente avec l'arrivée au pouvoir des partisans du Baas. Mélange de socialisme, de modernité occidentale et d'identitarisme arabe, le baasisme se traduit bientôt, tel que l'applique en Syrie la famille des Assad (depuis la prise du pouvoir par Hafez el-Assad en 1970), par une fermeté et un autoritarisme semblables à ceux de la plupart des autres régimes du Moyen-Orient. Tenue d'une main de fer par une famille issue d'un clan minoritaire (les alaouites), la Syrie devient, comme ses voisins, un gouvernement qui se livre au clientélisme, à la corruption et à la répression la plus sévère de toutes les sortes d'oppositions aux Assad.

Pourtant, le régime syrien a longtemps bénéficié d'une image positive au sein du monde arabe. Entretenant le rêve d'« Oumma arabiya » (« nation arabe »), les dirigeants ont su manipuler les formules et instrumentaliser notamment le conflit israélo-palestinien. Le pro-soviétisme affiché pendant la Guerre froide a renforcé cette impression que la Syrie était un rempart contre la toute-puissance de l'Occident colonialiste.

La Syrie est donc depuis longtemps une menace aux yeux de Washington. Menace directe pour Israël mais aussi, plus largement, menace pour l'ordre unipolaire emmené par la puissance américaine victorieuse de la lutte idéologique, économique et stratégique contre l'Union soviétique.

Le 11 septembre, une fois encore, apparut rapidement comme une occasion rêvée d'affaiblir enfin ce régime.

Le lien entre le régime syrien et les attentats du 11 septembre 2001 n'étant pas établi, l'administration Bush a dû user de ses talents d'illusionniste pour profiter de l'événement dans un sens favorable à la fragilisation des régimes gênants. Comme pour l'Irak, la solution a consisté à établir un rapport entre des individus coupables d'un événement terroriste traumatisant pour la population américaine et des gouvernements nuisibles à la Maison-Blanche pour d'autres raisons, bien plus complexes. Il aurait été impossible de convaincre le citoyen américain que la Syrie méritait, plus que d'autres pays autoritaires ou dictatoriaux sur la planète, une politique de rétorsion coûteuse et aux débouchés incertains. Ce pays est donc tout simplement devenu un « ennemi ». La magie de la formulation a opéré, le plaçant dans le petit cercle des représentants du « Mal »[1]. L'opinion publique, choquée par le 11 septembre, n'a pas véritablement réagi.

Depuis, occupé par la guerre contre l'Afghanistan puis par celle contre l'Irak, le gouvernement américain s'est contenté de menacer la Syrie, l'accusant régulièrement d'alimenter les actions terroristes en Palestine comme en Irak ou de détenir, elle aussi, des armes de destruction massive. La presse s'en fait le relais[2]. L'en-

---

1. Le discours du Président Bush faisant mention de « l'Axe du Mal » mentionnait l'Irak, l'Iran et la Corée du Nord, mais l'expression a été étendue aux « candidats » (pour reprendre les termes de John Bolton, sous-secrétaire d'État de l'époque) syrien, cubain et libyen.
2. Cf. notamment l'article du *New York Times* du 22 juillet 2003.

lisement des GI's en Irak permit pendant un temps de rassurer Damas ; il aurait été difficile en effet pour le Pentagone de gérer un second front quand le premier montrait tous les signes de l'incertitude, de l'absence de maîtrise de la situation d'« après-guerre », voire du chaos. Mais le répit fut de courte durée.

Très vite, les difficultés rencontrées face à la rébellion irakienne par les forces d'occupation, tout en mettant à l'abri Damas d'une attaque du même type, lui valurent des pressions croissantes de Washington, au motif que le côté syrien de la frontière avec l'Irak était le lieu de passage de nouveaux candidats aux attentats contre les soldats de la coalition. Pris en tenailles entre ces menaces sérieuses et la volonté de combattre la présence occidentale aux portes du pays, Assad temporisa autant que possible dans un premier temps. Il ne parvint pas pour autant à se faire oublier.

Le Liban, voie d'accès à une Syrie affaiblie

Une attaque armée susceptible de déboucher sur une victoire facile et certaine se révélant impossible, la fragilisation du régime de Bachar el-Assad devenait un objectif complexe. Quelques mois suffirent pourtant, après la fin de la crise irakienne entre la France et les

États-Unis, pour que les deux pays hier vigou reusement opposés se rencontrent sur le désir d'agir dans la zone syro-libanaise. La résolution 1559 fut votée à une majorité de neuf voix au Conseil de sécurité des Nations unies, le 2 septembre 2004.

À plusieurs reprises par le passé, les États-Unis avaient mis en cause la Syrie dans des documents votés en interne. Le « Syria Accountability and Lebanese Sovereignty Restoration Act » annonçait dès 2003 les intentions américaines de « stopper le soutien syrien au terrorisme, mettre fin à son occupation du Liban, arrêter ses développements d'armes de destruction massive ». Mais la position américaine envers la Syrie n'en était pas pour autant dénuée d'ambiguïté. Si les bureaux d'organisations terroristes palestiniennes telles que le Hamas ou le Djihad islamique se trouvaient bien à Damas, la menace syrienne ne visait pas seulement l'État hébreu. D'une part, les succursales en question ont été fermées par le régime syrien dès que les premières menaces de Washington se sont précisées. D'autre part, plus globalement, la Syrie présentait l'avantage pour Israël de stabiliser le Liban en le contrôlant. La frontière entre le pays du Cèdre et l'État hébreu a toujours été un lieu de tension important, notamment en raison de la lutte menée par le Hezbollah contre les invasions israéliennes. Ceci étant, dans un pays comme le Liban, ravagé par des années de guerre, par l'installation d'un État dans l'État, par la résistance palestinienne, la crainte d'un retour au chaos est permanente. Mieux vaut alors affronter un ennemi que l'on connaît (en l'occurrence la Syrie, dont on sait qu'elle soutient tel ou tel mais qu'elle n'est pas prête à déclarer la guerre à l'État hébreu comme elle a pu le faire à ses dépens dans le passé) qu'une infinité de courants et un gouvernement libanais libéré dont on ne connaît pas les intentions. En d'autres termes, la Syrie est un ennemi identifié, préférable dans une certaine mesure pour Israël à un voisin libéré de tout contrôle syrien. Toutefois, armes de destruction massive et soutien aux rebelles irakiens comme au Hezbollah ont été autant d'arguments avancés par Washington pour mettre un terme au statu quo.

Il faut dire que l'administration Bush a subitement été pressée d'agir par la résolution 1559, dont – fait étonnant – la France est à l'origine. Désireux d'agir au Liban où se profilait, depuis quelques mois déjà, la reconduction anticonstitutionnelle du Président Émile Lahoud, le Président Chirac a vu dans cette affaire une possible collaboration avec les États-Unis. Les troubles apportés par la crise irakienne s'étaient déjà quelque peu atténués, notamment en raison du vote de la résolution 1546 par laquelle le Conseil de sécurité des Nations unies légitimait *a posteriori* l'intervention américaine en Irak, ou encore du travail mené ensemble à Haïti. Dès lors, la résolution apparaît comme une opportunité à tous égards pour l'administration Bush. Elle affiche une bonne entente retrouvée avec la France, qui dispose dans la région d'une image positive puisqu'elle y est considérée comme « pro-arabe », et permet de viser la Syrie – avec, cette fois, l'aval officiel de la communauté internationale. Malgré des objectifs très divergents, les deux nations ont donc réussi à collaborer et à faire voter, non sans difficultés, la résolution 1559. Les résultats n'ont pas été probants dans un premier temps, mais aujourd'hui la Syrie est incontestablement affaiblie.

Damas a d'abord été sonnée par le vote de la résolution. Après avoir reçu pendant des années le soutien de la France, et du Président Chirac en particulier, elle s'est subitement trouvée pointée du doigt par un texte de la plus haute importance, puisque issu du Conseil de sécurité des Nations unies. Les États-Unis n'étaient plus le seul ennemi ; même une nation considérée comme favorable aux intérêts arabes au Moyen-Orient se retournait contre le régime. La Syrie se retrouva isolée. Bachar el-Assad commença par dénoncer une ingérence doublée d'une injustice. Israël n'était-elle pas *la* puissance occupante régionale imperméable aux nombreuses résolutions onusiennes et rejetant l'ensemble des accords internationaux, dont le dernier en date constitue la « feuille de route » ? Mais, une fois de plus, les régimes arabes, qui auraient pu se mobiliser à l'appel de Damas, se firent peu bruyants, puis tout à fait silencieux, avant enfin de s'aligner sur la position franco-américaine. L'Arabie Saoudite ou encore l'Égypte prirent alors le relais de l'Occident afin d'éviter une nouvelle crise à leurs portes. Damas ne pouvait pas réellement résister longtemps. Mais le Liban était une pièce maîtresse du jeu syrien. Plus encore, il constituait une des assises du régime des Assad. Comment poursuivre le clientélisme sans cette ressource essentielle ? Comment gérer le chômage sans les 4 à 500 000 ouvriers syriens travaillant au Liban ? Enfin et surtout, comment ne pas perdre toute crédibilité envers sa propre population en cédant ainsi de son emprise sur ce qui a toujours été présenté comme une « province » et non un État souverain ? L'assassinat de Rafic Hariri, le 14 mars 2005, a marqué un tournant. Les tergiversations paraissaient désormais forcément coupables à la communauté internationale comme aux pays voisins. La Syrie s'enlisait et, accusée d'avoir, sinon fomenté, du moins aidé à la mort tragique de cet homme d'État autrefois allié, devait se rendre.

La présence syrienne au Liban, dénoncée dans la résolution 1559, a disparu en quelques semaines, et la seule question qui demeure aujourd'hui est celle des « agents » dont il est impossible de savoir dans quelle mesure ils demeurent ou non infiltrés au pays du Cèdre. Le fait est en tout cas que les Syriens n'y sont plus les bienvenus.

L'Iran

L'Irak était une cible facile et la Syrie une puissance chancelante dont on connaissait le talon d'Achille. Tous deux ont été touchés. Pour l'Iran, membre lui aussi du fameux club de « l'Axe du Mal », l'ébranlement est moins évident. Pour plusieurs raisons.

D'abord, l'Iran est une puissance d'une tout autre ampleur que la Syrie ou l'Irak. Il dispose semble-t-il d'armements atomiques et en tout état de cause peut faire valoir une force militaire inquiétante pour ses voisins et pour les États-Unis. Attaquer l'Iran serait bien trop coûteux pour Washington, qui peine déjà en Irak.

Ensuite, intervenir en Iran serait contre-productif. L'évolution sur place, depuis quelques années, va dans le sens de la démocratie. Les mouvements étudiants en particulier se révèlent de plus en plus actifs, et la jeunesse se retrouve généralement peu dans les institutions de son pays. Globalement, l'anti-américanisme est même moins fort en Iran que dans le reste des pays arabes ou musulmans[1]. Dans ce contexte, une guerre comme celle menée par la coalition en Irak ne ferait que détruire ce terreau prometteur de jours meilleurs (bien que lointains, la démocratie instantanée n'existant pas).

Depuis la prise d'otages de 1979, les présidents américains successifs ont constamment durci les relations avec l'Iran. Démocrates comme Républicains n'ont cessé de sanctionner le régime, faisant pression sur les autres États pour qu'ils en fassent autant. L'arrivée de G.W. Bush au pouvoir en 2000 aurait pu changer la donne s'il n'avait été entouré des néoconservateurs.

Mais l'Iran se trouve dans la ligne de mire de l'administration Bush. Ce pays soutient le terrorisme, développe des armes de destruction

---

1. L'agence de presse iranienne (IRNA) a révélé ainsi le 22 septembre 2002 une étude menée par deux personnalités iraniennes connues pour leurs positions réformatrices, l'un d'eux ayant pris part à la prise d'otages de 1979. Selon l'enquête, 75 % des Iraniens approuvaient les négociations avec les États-Unis et 64,5 % seraient favorables à la reprise des relations entre les deux « ennemis ».

massive, et provoque la puissance américaine depuis la révolution islamique de 1979. Surtout, avec la fin de la puissance syrienne, il est à présent le dernier cas à traiter pour qu'aboutisse le morcellement de la région.

Dès lors, l'Iran est régulièrement mis en cause dans les discours du Président Bush. Il y a encore quelques mois, celui-ci déclarait, au sujet d'une éventuelle option militaire pour répondre aux positions iraniennes sur leur armement : « J'espère que nous pourrons régler cela de façon diplomatique, mais je n'exclus aucune option. » On s'est longuement interrogé sur la méthode à adopter : gestion diplomatique menée par l'Union européenne ou pression menaçante mais de l'ordre du discours de la part de Washington ? À présent, l'ONU a pris le relais. Il est bien sûr trop tôt pour prévoir l'issue de ces tractations, mais il est clair que l'administration Bush ne saurait rester immobile face à de nouvelles provocations de l'Iran, aujourd'hui dirigé par Mahmoud Ahmadinejad, qualifié d'« ultra-conservateur ». Remarquons toutefois que les menaces régulières adressées au nouveau Président iranien n'ont toujours pas convaincu. Aux démarches européennes ont succédé celles des Nations unies sans que Washington précise ses intentions quant aux sanctions contre l'Iran. Dans ce contexte, les puissances occidentales, États-

Unis compris, sont coincées dans un jeu où l'Iran dispose de cartes fortes : l'Irak, mais aussi le soutien chinois et peut-être russe. La situation évolue très vite et demeure imprévisible. Soulignons simplement que l'affaiblissement recherché de l'Iran, quand bien même ce pays, par ses provocations, justifierait une action internationale, pose problème aux États-Unis.

Les Iraniens sont Perses et Chiites.

Depuis avril 2003, et la chute du régime de Saddam à Baghdad, les forces de la coalition occidentale menée par les Américains ont, dans une méconnaissance totale de la sociologie politique de la région, accordé les pouvoirs – tous les pouvoirs – en Irak à la communauté chiite, réduisant ainsi la démocratie au seul suffrage universel. Cela a permis au pouvoir iranien de développer ses liens avec cette communauté qui pourtant, en 1980, au moment de la guerre Irak-Iran, est restée farouchement nationaliste irakienne. Cela a surtout servi l'ambition de Téhéran de devenir une puissance régionale en créant le Panchiisme, une géopolitique chiite dans les pays du Levant : Irak, Syrie (les alaouites étant une dissidence chiite) et le hezbollah libanais.

Dans le même temps Téhéran est engagé dans de difficiles négociations sur le dossier nucléaire avec les Occidentaux en général et les Européens en particulier. Ce dossier n'est pas notre propos, mais il faut savoir que l'Iran aura tôt ou tard son nucléaire, la véritable question est de savoir s'il aura avec nous ou contre nous.

Mais l'Iran dispose également, dans son approche chiite, d'autres cartes maîtresses : 10 % de la population saoudienne est chiite, concentrée dans la région pétrolière du royaume ; 30 % de la population koweitienne, 27 % de la population des Émirats Arabes Unis et surtout 70 % de la population de Bahrein. Cela veut dire que l'Iran peut également jouer les trouble-fête dans la péninsule arabique, avec d'autres enjeux-pétroliers cette fois.

Le morcellement régional est annoncé. La résistance de l'Iran, si elle perdure, ne saurait renverser cette situation. La République islamique perse est dans l'incapacité de fédérer les nations voisines divisées. Tout au plus peut-elle soutenir quelques mouvements ou servir d'exemple. Ceci n'est pas négligeable, et c'est pour cette raison que Washington ne cessera pas de sitôt de surveiller cet État et de le contraindre par la menace.

Alors que les menaces voisines s'amenuisent sans cesse pour Israël depuis la mise en œuvre de la politique dictée par les néoconservateurs au sein de l'administration Bush, comment réagit l'État hébreu ?

Nombreux sont les « observateurs avertis » qui, dans les médias français, soulignent les changements positifs de la politique menée par le gouvernement israélien depuis six mois. Ariel Sharon a quitté Gaza ? Il a avant tout réalisé des économies en moyens humains et financiers, car chacun sait que la zone est depuis fort longtemps le Vietnam de l'État hébreu. Il a libéré 900 prisonniers ? La plupart étaient en fin de peine, très jeunes ou très vieux. Il a serré la main de Mahmoud Abbas ? Et après ? Comment cela se traduit-il sur le terrain ? Il faut être loin de cette réalité-là pour imaginer que les Palestiniens croient encore à ce genre de symboles. Il faut également oublier l'histoire, même la plus récente, pour conclure si vite à l'arrivée possible d'une paix, même partielle. Oslo, la plus grande avancée imaginable, a-t-elle seulement empêché la colonisation de se poursuivre ? Non, et c'est pour cette raison que les éléments les plus radicaux parmi les Palestiniens ont repris les hostilités, ce qui en retour a servi de prétexte à des dirigeants israéliens peu désireux d'appliquer les engagements pris auprès de la communauté internationale emmenée par les États-Unis. Si aujourd'hui le Hamas est au pouvoir, ce n'est pas parce qu'une majorité de Palestiniens soutient l'idéologie islamiste, mais avant tout parce que le Fatah n'a pas su empêcher la dégradation de la situation ni la corruption.

En réalité, l'État hébreu poursuit sa politique de violation du droit international. Quelques gestes bien calculés et parfaitement vendus à la communauté médiatique suffisent alors à calmer les esprits. Sauf en Palestine. Sauf en Israël. Là-bas, les combats continuent, comme continue de croître le nombre des morts, dans tous les camps, de tous les âges, civils et militaires confondus.

Le problème israélo-palestinien revient donc au cœur de notre interrogation. Pourquoi intervenir en Irak et approuver toutes les décisions israéliennes, quand bien même elles seraient contraires aux principes les plus fondamentaux si chers aux régimes d'Occident ? La seule démocratie du Moyen-Orient ne doit-elle pas donner l'exemple, au lieu de piétiner les résolutions onusiennes ? Les États-Unis, gendarme du monde, ne se sentent-ils subitement plus liés par leur devoir de diffuser la morale ? Néoconservateurs et « Born Again » ont eu raison de ces remises en cause. L'État hébreu demeure un allié, coûte que coûte. Mais tout à coup on s'aperçoit que le « deux poids deux mesures » est de rigueur et que priment aujourd'hui des intérêts bien différents de ceux qui ont été affichés pour justifier l'intervention – militaire en Irak ou diplomatique en Syrie et aujourd'hui en Iran. Le problème des armes de destruction massive ne sera pas crédible tant que l'État hébreu ne sera pas inquiété. De même, la démo-cratisation régionale restera un vœu pieu tant que régnera le chaos et que le peuple palestinien ne sera pas respecté par l'allié intime de Washington.

Conclusion

PLUS que jamais, la formule se vérifie : le droit sans la force est toujours impuissant ; la force sans le droit, toujours injuste.

C'est sans doute pour cela qu'on retrouve chez les Arabes, les Iraniens et tous les autres peuples de la région à la fois cette fascination pour un pragmatisme américain efficace et le rejet, sinon la haine, d'une administration qui, au nom de ce même pragmatisme, ne tient pas compte des dimensions culturelles religieuses de ces peuples.

Démanteler les États qui étaient en passe de bâtir une citoyenneté nationale, ériger des entités communautaristes, ancrer Israël dans son particularisme, contenir l'éventuelle irruption de la Chine de demain, réduire la démocratie au seul suffrage universel, au mépris des aspirations majoritaires et des frustrations minoritaires... Tout cela ne peut qu'élargir le fossé entre l'hyper-puissance américaine et ces peuples en mal d'identité, tiraillés entre une histoire millénaire qui semble s'être figée et une modernité à laquelle ils demeurent étrangers. Dans ce face-à-face inégal, il n'y a plus de place pour rien ni personne d'autre.

Et pourtant, il subsiste un espace dans lequel nous Français, nous Européens, pourrions prétendre être au moins aussi performants, sinon plus encore, que les États-Unis : l'espace culturel.

Mais comment la culture pourrait-elle ébranler la puissance américaine ?...

Construire des lycées et des universités dans tous les coins du monde, installer partout des centres d'apprentissage, ce serait offrir à ces peuples les moyens de transmettre le savoir, l'enseignement, l'éducation. Alors, et alors seulement, un véritable espoir de former des démocrates, de construire et d'enraciner des démocraties, verrait-il le jour. Il existe déjà des démocrates arabes et musulmans, qui peuvent contribuer à faire naître cet espoir ; ils sont pour la plupart installés en Europe ou aux États-Unis, ils ont fui les dictatures, les citoyennetés communautaires et, bien entendu, la montée de tous les extrêmes, religieux et autres. Ils n'attendent que nous.

Le XXIᵉ siècle sera religieux ou ne sera pas, prophétisait Malraux. Mais comment éviter que l'homme ne s'empare de Dieu et ne se proclame son porte-parole ? Comment remettre la notion de « lien » au cœur de la religion ? Il faudrait, pour cela, que ce XXIᵉ siècle soit plutôt celui de la transmission du savoir à tous.

Or, c'est là où le bât blesse. Seules les démocraties redistribuent également le savoir et la culture à toutes les couches de la population, et non pas seulement à une élite de régime corrompue et clientéliste.

Voilà donc le rôle de l'Europe, et de la France en particulier : cibler l'aide à ces pays en privilégiant les projets d'éducation et d'enseignement dont les sociétés civiles seraient directement et en priorité les bénéficiaires.

Il en va de l'avenir du monde arabe – mais du nôtre également.

Il en va de la démocratie. De toutes les démocraties.

En effet, comment prétendre bâtir ou imposer des démocraties sans démocrates ? Comment voulons-nous, au moment de glisser notre bulletin de vote dans l'urne, être capables de choisir si nous n'avons même pas les moyens d'analyser et de décortiquer les programmes des candidats ?

Si nous réduisons la démocratie au seul suffrage universel, comme les Américains l'ont fait en Irak, alors l'Irak est démocrate ; l'Iran également, qui a voté 27 fois depuis l'arrivée de Khomeyni. Mais aussi et surtout l'Arabie Saoudite qui en mai 2005, a organisé des élections municipales : cela en fait-il une démocratie ?

Pour former des démocrates il faut, en premier

lieu, leur assurer une redistribution du savoir et leur apprendre le doute et l'apport critique ; leur insuffler l'idée essentielle que toute liberté s'accompagne de responsabilité et, avant tout, sans doute celle de la citoyenneté. À la différence des Américains, pour qui la nation n'est qu'un agrégat de communautés qui vivent les unes à côté des autres, le concept de citoyenneté de base implique une appropriation de la Cité. Mais aussi une transcendance de toutes nos identités communautaires régionales et ethniques.

Dans ce Proche-Orient multiconfessionnel et donc multiculturel, la citoyenneté est absente. Le nationalisme existe. Nous l'avons vu lors de la dernière guerre entre Israël et le Hezbollah ; les Libanais ont donné l'image d'une nation soudée et attachée à son pays ; mais, dans le même temps, nous est apparue d'une manière flagrante l'absence de l'État libanais, déliquescent depuis les années 1970, jusqu'à sa disparition totale en 1990. On ne peut construire une démocratie sans fabriquer des citoyens. Seule cette citoyenneté peut nous rendre solidaires et égaux. Pour devenir ce citoyen nous ne pouvons rester étrangers à notre culture et à celle des autres : c'est elle qui nous fera découvrir l'altérité et nous faire reconnaître l'Autre tel qu'en lui-même...

Alors et alors seulement, nous pourrions prétendre construire des démocraties, dans cet Orient compliqué.

Remerciements

Mes remerciements vont à Delphine Lagrange pour son aide et sa collaboration.

TABLE

Achevé d'imprimer sur les presses de

BUSSIÈRE

GROUPE CPI

à Saint-Amand-Montrond (Cher)
pour le compte des Éditions Grasset
en septembre 2006

N° d'édition : 14520. — N° d'impression : 063352/1.
Dépôt légal : octobre 2006.

Imprimé en France

ISBN 2-246-71681-0